CB032857

CIP-BRASIL. CATALOGAÇÃO NA PUBLICAÇÃO
SINDICATO NACIONAL DOS EDITORES DE LIVROS, RJ

F282d

Favre, Regina
Do corpo ao livro / Regina Favre. - 1. ed. - São Paulo : Summus, 2021.
176 p. : il. ; 21 cm. (Pulsátil)

Inclui bibliografia
"Qrcodes com vídeos embutidos"
ISBN 978-65-5549-020-6

1. Psicologia do desenvolvimento. 2. Desenvolvimento social. 3. Linguagem corporal - Aspectos psicológicos. 4. Psicoterapia. I. Título. II. Série.

20-68140 CDD: 155
CDU: 159.922

Camila Donis Hartmann - Bibliotecária – CRB-7/6472

07/12/2020 10/12/2020

DO CORPO AO LIVRO

DO CORPO AO LIVRO

Editora executiva: **Soraia Bini Cury**
Assistente editorial: **Michelle Neris**
Projeto gráfico, capa e diagramação: **Gabriela Favre**

Summus Editorial
Departamento editorial
Rua Itapicuru, 613 – 7º andar
05006-000 – São Paulo – SP
Fone: (11) 3872-3322
https://www.gruposummus.com.br
e-mail: summus@summus.com.br

Atendimento ao consumidor
Summus Editorial
Fone: (11) 3865-9890

Vendas por atacado
Fone: (11) 3873 -8638
e -mail: vendas@summus.com.br

Impresso no Brasil

REGINA FAVRE

DO CORPO AO LIVRO

Para minhas filhas, Gabi e Bel

SUMÁRIO

PREFÁCIO

É um livro de teoria? De história social? De filosofia política? Uma autobiografia? Um romance?

Este livro descreve o desenvolvimento do processo formativo, e a sua escrita expressa em si a abrangência de tal processo; explicita em sua forma a realidade da integração de todos os aspectos de uma vida em construção: biológicos, culturais, cognitivos, políticos, sociais, afetivos, históricos, artísticos, circunstanciais. É a formatação escrita de uma obra viva realizada ao longo de quatro décadas. É a história do desenvolvimento formativo de uma teoria sobre o processo formativo, escrita de um jeito que é como olhar as imagens que se multiplicam em um jogo de espelhos.

É a arqueologia de um tipo de conhecimento com o qual convivemos hoje – a escrita sobre um processo audiovisual que resulta numa experiência de livro multimídia.

Antes de ser terapeuta, Regina é historiadora e filósofa; desenvolveu seu trabalho sempre numa vertente analítica aguçada da realidade, que devolve o que ela observa através de um filtro crítico, quase implacável. Tende a uma precisão contundente quando descreve o caráter de um processo – de pessoas, de si mesma, de situações ou de coletivos. Como a realidade oferece dureza, suas observações podem tender à crueldade do tipo "do chão não passa", mas também são capazes de produzir uma imagem que se torna um apoio firme, porém macio, envolto em muita ternura.

Regina sempre foi assim: um ser humano capaz de sintetizar utilizando um sem-número de elementos.

Quando jovem e publicitária, exercitou esse poder de síntese. Depois, já terapeuta e educadora somática, passou a utilizar esse talento para beneficiar os que com ela se tratam. A sua precisão ao descrever faz-nos ver com os olhos da mente e do coração.

Deve ser em virtude desse dote natural e da paixão pela precisão descritiva que Regina se tornou pesquisadora da linguagem do vídeo. Desde os anos 1980 ela se dedica à linguagem mais adequada para desvendar os processos da nossa ação psicossomática, tornando o uso da tecnologia parte intrínseca do processo.

À medida que eu lia este texto, fui identificando em suas páginas um estilo atual em historiadores e analistas da realidade do humano – como Yuval Noah Harari (*Sapiens*) e Sidarta Ribeiro (*O oráculo da noite*). Em áreas diversas, o elemento comum dessas obras é que elas nos mostram que somos não apenas o resultado de um processo, mas o processo em si.

Outra característica que me chama a atenção na escrita de Regina, assim como na de Harari e Ribeiro, é como o conhecimento vai sendo construído e apresentado à maneira da arqueologia. Regina identifica em cada peça todas as hipóteses levantadas sobre ela, com espaço suficiente para as inevitáveis incompletudes que nem sempre são bem-vindas na produção de ciências que buscam garantias.

A construção do saber exposto neste livro pertence a uma área de conhecimento e ação que não se propõe ao diálogo direto com a psicanálise, mas Regina a tem como um dos fios condutores do seu tecido existencial. Isso se revela no lugar de importância que os sonhos ocupam em sua prática formativa – portanto, neste livro –, em sua confiança no uso dessa "via régia de acesso ao nosso inconsciente", como diz Freud em *A interpretação dos sonhos*. E, nessa exposição escrita do seu saber, ela usa a análise dos próprios sonhos, repetindo aqui o estilo com que Freud apresentou ao mundo a sua teoria.

O modo livre associativo com que Regina se desloca no tempo e leva o leitor com ela é também produto dos seus muitos anos de divã. A psicanálise paira sobre seu texto – como paira em toda a cultura das últimas décadas. De maneira sutil, apenas impregnando os relatos, como quando lemos esta joia: "A memória junta coisas dos mais estranhos lugares ao disparar ações". A frase surge no meio de um relato que parece anedótico e que, de repente, nos coloca diante da descrição precisa da dinâmica psicossomática de uma ação.

A sensação na leitura é a de estar deslizando por cenários e cenas enquanto a história do desenvolvimento dos conceitos vai se apresentando. Assim, de cena em cena e de diálogo em diálogo, sempre vivos, vamos nos familiarizando com as raízes do pensamento de Stanley Keleman e com a forma como a autora processa e entrelaça as próprias raízes no encontro com a história dele. Ao mesmo tempo, acompanhamos os embriões de conceitos e práticas consagradas, como o *embodiment*, o exercício do como ou exercício dos cinco passos, o formatar a expressão de um comportamento que toma de assalto e o processo de desorganizar a configuração somática que sustenta uma experiência cuja mudança seria benéfica.

É um livro teórico, é um livro de história, é um livro que revela como a política e a cultura se entrelaçam no destino do indivíduo. É um livro que agrega para quem, como eu, se dedica à clínica psicoterapêutica, pois revela como enfocar o sofrimento individual sem perder de vista o contexto social – nem reduzir uma categoria à outra.

Para terminar este prefácio, usando o conceito de "cozinha do analista", do nosso mestre em comum Emilio Rodrigué, afirmo: se Regina fosse uma *restauranteur*, seu restaurante seria construído à maneira de uma arena – a cozinha ocupando o centro com toda sua azáfama produtiva, possibilitando aos clientes, que esperam à mesa o prato desejado, acompanhar desde o início os pormenores do preparo. E assim quem quiser, além de saborear, pode aprender a fazer por si.

Rebeca Berger
Psicóloga, analista bioenergética
e *international trainer*

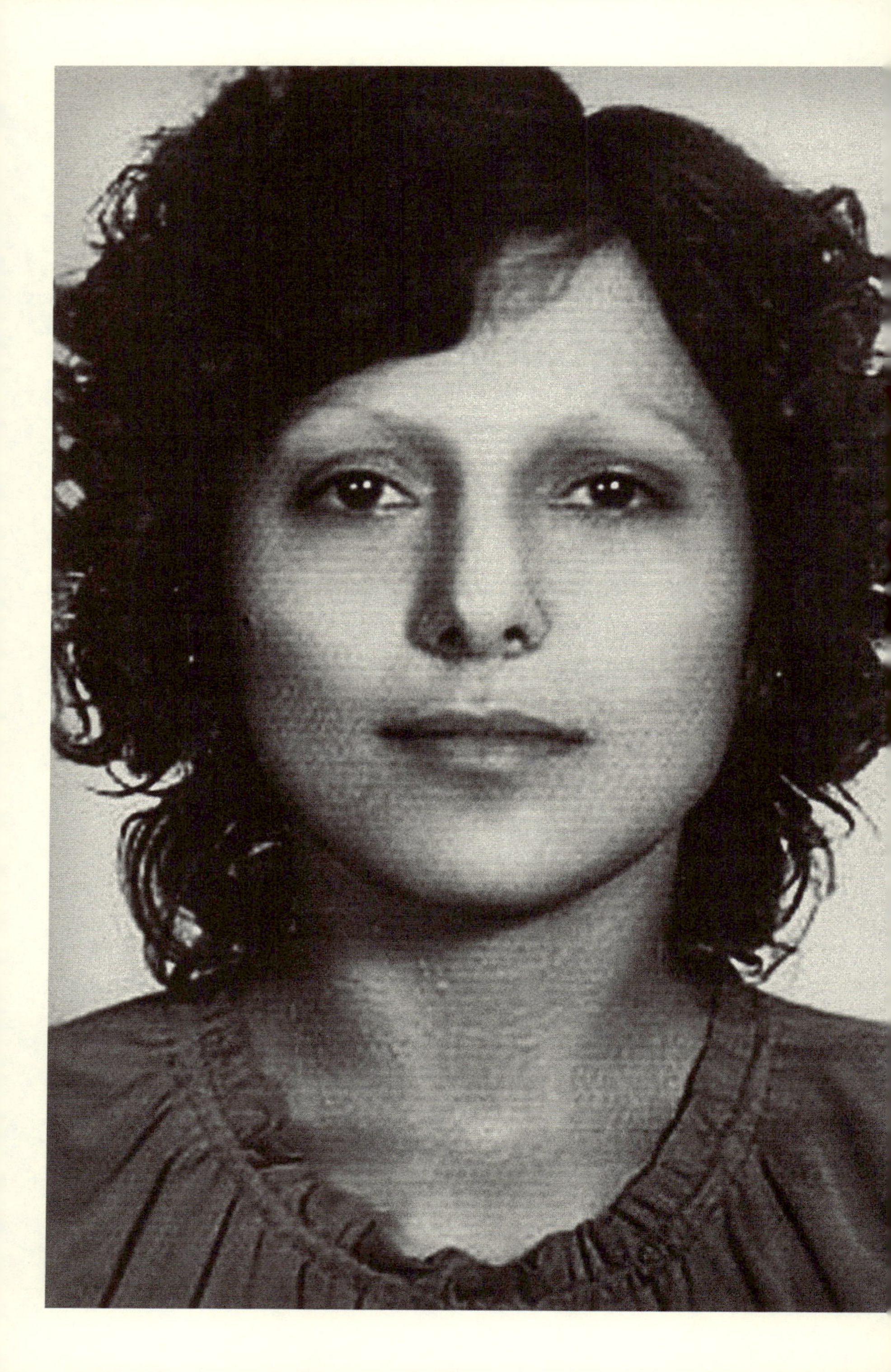

PARTE I VICISSITUDES DE UMA COLONIZAÇÃO

1 Antes do começo: como reconhecer e ativar um processo adaptativo

Este é um livro escrito em primeira pessoa, um corte num tempo e num momento da história social brasileira no qual me situo como parte de um processo de mudanças em que o corpo se tornou um tema, um conceito importante, uma porta para uma vida mais autêntica.

Isso era o que se dizia, no rastro do existencialismo dos anos anteriores, para que as pessoas se situassem e se adaptassem quando a década de 1960 chegou ao fim. Naquele momento, me coube estar de corpo inteiro produzindo movimentos próprios, muitos ainda erráticos, e buscando pessoalmente no campo profissional que emergia a sobrevivência, o ser mulher, o ser autônoma, a luta com a dependência e a competição dentro das chamadas psicoterapias corporais, cujos brotos adubados pela urgência de mudança nas subjetividades pipocavam aqui e ali.

A presença de Stanley Keleman – autor de cartografias clínicas e filosóficas que assimilei para a realidade brasileira já na década de 1990, traduzindo, usando, transformando e também redirecionando – é o fio condutor de uma narrativa histórica na primeira pessoa sobre nossa característica ambivalência entre colonização e antropofagia.

Stanley, como é chamado por todos os que o conheceram pessoalmente, foi uma personalidade inacreditavelmente forte.

A assimilação dessa cultura corporalista, que deu origem a psicoterapias e pedagogias no mundo todo e entre nós, estimulou um mercado e a formação de um novo campo profissional no qual se aprende e se transforma a própria vida, aplicando-se na clínica e transmitindo de corpo inteiro um conhecimento vivo. Entretanto, questões como a mercantilização, a homogeneização dos valores e modos de viver, fazer e desejar, bem como a colonização do desejo não podem deixar de ser vistas. As características próprias do Brasil, como o patriarcado e o grande abismo – tal como descreve Jessé Souza – entre elite e ralé, continuidade da escravidão, necessitam ser incluídas nos modos de pensar e viver essa transformação que chegou à nossa vida de classe média, de leitores e escritores, fazendo da cultura terapêutica que se apresenta hoje uma ajuda imprescindível para a adaptação da vida às mudanças vertiginosas do país.

Trato aqui de modos de lidar com a importação de uma cultura e do uso do pensamento de um autor dessa cultura, desejada e temida por muitas razões, a ser mantida dentro dos seus limites.

Vamos reconhecer como importamos culturas, sentir a ambivalência dos nossos impulsos brasileiros de simultaneamente desejar a colonização de modo submisso e deslumbrado e praticar a antropofagia, misturando e devorando o que nos vem inevitavelmente de fora com altivez tupinambá. Nós nos movemos em muitos graus dentro desse espectro.

Este livro é o registro da presença no próprio ato físico de uma escrita, um corpo que escreve, que se bate encarnadamente com a narrativa da apropriação ambivalente brasileira de uma linguagem que todo o tempo, na situação de começar, lida com as ferramentas do processo formativo kelemaniano.

É função deste livro ser útil e ajudar-nos a reconhecer, a esta altura do caminho, onde estamos, quem somos e que problemas estamos enfrentando para gerar as condições necessárias para prosseguir – enquanto dure nossa sorte de estarmos vivos. Como fazer um corpo que dê suporte à sua continuidade neste mundo?

Não esperem linearidade. As voltas e a repetição fazem parte dessa produção formativa de um livro em ato.

2 Um sonho

Depois de terminado o hercúleo trabalho de extrair de suportes variados todo o material registrado na experiência com a instalação didática no Laboratório do Processo Formativo – o modo que desenvolvi de ensinar sobre o corpo, esse processo subjetivo e em contínua produção de si – e de concentrar tudo em um poderoso HD de 6 *terabytes*, tive um sonho. Finalmente eu me via diante do esperado início de outra operação; dessa vez, pensava eu, de selecionar e editar esse mar de registros agora totalmente classificado. Foi quando tive esse sonho vivo, absurdo e muito engraçado.

Eu havia chamado os bombeiros para que levassem para cima, por uma escada de madeira de um sobradinho antigo, um leão jovem e cheio de energia. O leão se debatia e todos se divertiam com a operação – inclusive eu, que acompanhava a manobra do alto da escada. A ideia era colocá-lo em um quarto no andar superior. O sobradinho tinha todo o jeito da primeira casa de que me lembro na vida.

Uma das patas desse leão era imensa.

Entendi que, no sonho, estava refletindo sobre o esforço de compressão realizado. Como acontecimentos vivos, pulsantes, reais podem milagrosamente se tornar arquivos digitais?

Primeiramente, as forças de corpos, imensas, maravilhosas, ativadas pelo acontecimento, tiveram de ser transformadas em algo de natureza muito distinta do vivido graças a um enorme esforço de registro. Todas as estratégias dos seminários-acontecimentos do Laboratório do Processo Formativo foram sendo criadas sempre diante da necessidade de produzir ambientes de estudo que evidenciassem sua real complexidade física, afetiva, biológica, social, antropológica, histórica, política, tecnológica, captando essa riqueza do real de tal modo que alimentasse o estudo dos corpos e seus ambientes no próprio ato de se fazer a si mesmos, e não *a posteriori*.

Essa captação ao vivo exigiu muitíssima ação manual de transcrição simultânea, videogravação, fotos, anotações em cadernos, desenhos e cartografias sobre o ovo[1], postagens em grupos fechados nas redes sociais, elaboração de material para um site etc. Como o conceito de homúnculo – que não sei se ainda vale hoje para as neurociências –, aquela representação de partes do corpo no córtex motor, conforme seu maior ou menor uso.

A pata imensa foi a pista para essa compreensão. O vivido e o registrado estavam condensados na figura daquele leão: a pata gigantesca, sobre-excitada pelo uso, e o corpo animal em sua concretude biológica.

---

1 Quadro branco em forma de ovo que fica na sala do Laboratório do Processo Formativo. Ali são desenhados os diagramas do pensamento que vai se produzindo ao longo das ações, a fim de organizar a experiência do processo formativo que se desdobra ao longo dos encontros. Tais diagramas abrangem o como, o quando, o onde, as condições, os ciclos, os ritmos, os princípios nos quais se produzem os corpos, sua relação com a linguagem, com a história social, com as imagens, com a biologia molecular, com as neurociências e com o próprio ambiente relacional e tecnológico presente.

Podemos dizer que se trata da fina operação de corticalizar a experiência motora, extrair cognição da experiência concreta, vivida muscularmente, transformar esquemas musculares em mapas neurais. Levar para cima o vivido por seu caminho anatômico.

Sim, mas por que aquele quartinho?

Reconheço naquele cômodo que receberia o leão o primeiro quarto onde dormi sozinha, tardiamente, longe dos pais.

Essa imagem do sonho – diria a psicanálise, que se ocupa da produção da mente – condensa a afirmação de que pensar o vivido é um ato que exige separar-se do mundo parental e começar a reconhecer-se no mundo.

3 O começo do começo

Há um pulso. Vamos ouvi-lo. Vamos sintonizar...

A vida prossegue formando sua continuidade através dos corpos e de suas ações.

A mim cabe agora dar prosseguimento à produção de mundo gerando escrita na forma de livro, o livro que decidi gestar e parir. Para isso, vou me utilizar dos registros de todo tipo, já mencionados no relato do sonho com o leão, que foram levados pelos bombeiros para dentro do quartinho. O "leão" já foi digitalizado e se encontra comprimido em um grande HD aqui ao meu lado. Disponível para consulta e inspiração.

A viagem nesse cubo sobre a cidade, o meu *Beagle*, o Laboratório do Processo Formativo, foi longa até que eu decidisse iniciar um livro. Com a participação de muitos escribas, câmeras, fotógrafos, alunos e colaboradores, produzi e registrei o acontecimento-ensino na Instalação Didática. Mas, desde o começo, como escrevo no Capítulo 20, utilizei os registros para a elaboração de artigos para revistas e posts no site www.laboratoriodoprocessoformativo.com.

Nos primeiros anos, os registros, foram gravados em DVDs, CDs, impressos em uma imensa quantidade de folhas A4 e acondicionados, mês a mês, em envelopes de plástico, depois reunidos em classificadores, etiquetados com a marca do ano e do grupo em que foram produzidos – agradeço a Célia, essa acumuladora do bem, secretária que me acompanha há décadas e materializou meu desejo de organizar essas pastas ano a ano, grupo a grupo.

A certa altura, dois anos atrás, minha filha Gabriela, *designer* gráfica, juntou-se a nós para fazer a curadoria desses bens imateriais representados pela imensidão de preciosos registros e começar a criar condições para a produção de um primeiro livro. Chamou também um amigo, grande arquivista digital: Paulo Catunda, um dos bombeiros do sonho. Em seguida convidei Marco Gaiarsa – meu afilhado querido, o segundo bombeiro –, estudante de filosofia, competente e organizado, para fazer o transporte de tudo para o famoso HD gigante.

Impossível desbravar sozinha arquivos e arquivos, pastas e pastas... Impossível. Sem falar do medo de estragar, perder, errar com a minha insegurança tecnológica. Contatei, então, finalmente, Ana Godoy, professora, orientadora no processo de escrita de teses e livros, uma voz semanal por Skype.

Resolvi ativar a Instalação Didática para essa conversa de duas horas semanais. Chamei minha filha Gabi para montar um posto de conversa com Ana Godoy, a voz, por Skype videogravado. Eu poderia rever depois minha imagem diante do computador, falando, lendo, ouvindo, pensando, lembrando, associando, sofrendo, cartografando no ovo atrás de mim, fazendo somagramas, posturando meus estados. Em poucas palavras, usei meu método de ensino encarnado para essa conversa encarnada sobre a aprendizagem de fazer um livro.

Naturalmente, desenvolvi essa estratégia para afirmar o fato de que somos corpo neste mundo onde o entender, o falar e o pensar são hegemônicos. E de que geramos vida, corpos, dramaturgias com aquilo que fazemos todo o tempo – ações como falar, escrever, pensar, esboçar emoções – nesse corpo que segue, da concepção à morte, se produzindo biologicamente e está aí fazendo as coisas da vida de cada um. Quando assistimos a gravações de situações simples e reais podemos enxergar esse processo formativo acontecendo por toda parte e em nós-corpo, autoevidente, sem a necessidade de interpretações. Corpo não é algo especial, de pessoas especiais; corpo é a vida que segue, nos atravessando.

Ana Godoy me passa lições de casa, apresento meu material, conversamos sobre como imagino compor um livro, ela me oferece alguns exemplos e vamos. Mando os textos que produzi na semana com o material quebrado, picado; falamos sobre brincar, lembro de quando me alfabetizei e aprendi a brincar sozinha, explico como penso, me sinto entendida.

No passado ajudei Ana em sua ansiedade, por um mês, nas vésperas da defesa do seu doutorado. Tivemos algumas sessões, uma intervenção, uma terapia ultrabreve. Mas nos admiramos e nos entendemos, nos reconhecemos como aprendizes dos naturalistas ingleses em sua prática de fragmentos e notas de viagem, na linhagem de Darwin. Ana é a voz que chegava do continente ao meu cubo que navega sobre a cidade.

4 Como encontrei Stanley Keleman

Recentemente me detive sobre o número especial que a revista eletrônica da *European Association for Body Psychotherapy* publicou pela ocasião da morte de Keleman e li muitos dos artigos calorosos, próximos e gratos dos kelemanianos americanos, europeus e brasileiros. Ali estavam amigos, estudantes e parceiros dessa comunidade formativa que se firmou e desenvolveu num estilo totalmente próprio, inteligente e amoroso, cultivando com intimidade o processo formativo, um estilo muito particular e diferenciado nesse campo das psicoterapias corporais, que com suas escolas, institutos e filiais acabou por se caracterizar por uma política de reprodução serializante de profissionais .

Esse reencontro com o campo kelemaniano, por meio da leitura de artigos que, sobretudo, narravam a temporalidade do desenvolvimento das ideias de Keleman, ajudou-me a organizar minha narrativa, a da apropriação que fiz desse pensamento a certa altura da minha relação com sua comunidade.

Em 2006, na ocasião dos 75 anos de Keleman, o grupo dos kelemanianos europeus, juntamente com os californianos, começou a preparar uma revista em sua homenagem. Era referida como *Festschrift*. Fui convidada – como brasileira, kelemaniana, frequentadora de seu mundo por mais de uma década, introdutora dos seus livros e do seu pensamento no Brasil – a escrever um artigo.

Keleman veio ao Brasil quatro vezes, entre 1994 e 2001, sempre trazido por mim, por meio do então Centro de Educação Somática Existencial, e por Leila Cohn, do Centro de Psicologia Formativa do Rio de Janeiro. Na última de suas vindas, logo após o 11 de Setembro de 2001, passeamos muito pelos diferentes mundos de São Paulo e conversamos sobre a pobreza e a desigualdade social no Brasil.

Em torno de 2005, o já chamado Laboratório do Processo Formativo produziu um evento de alunos em que aplicações do formativo em diferentes situações eram apresentadas. Os alunos do curso de Terapia Ocupacional da USP, trazidos por Eliane Dias de Castro e Elizabeth Araújo Lima, professoras e coordenadoras do projeto PACTO, frequentadoras e apoiadoras do Laboratório, penduraram por todo o espaço lençóis com somagramas bordados por moradores de rua de São Paulo. Foi o ponto alto do encontro, as bandeiras com os corpos de brasileiros excluídos pendendo das paredes que nos continham ali naquela celebração formativa.

Mandei as fotos para Keleman, provavelmente por fax.

Em sua vinda anterior, eu lhe havia mostrado um vídeo que muito o interessara e honrara. Essa gravação, em que eu já experimentava a forma de gravação participativa que previa edição, fora feita num Centro de Convivência da prefeitura de Taboão da Serra (SP) com um grupo de psicóticos, moradores de rua e alcoólicos que se reunia num barracão do zoológico da cidade. O projeto se chamava A Novela de Verdade, o que estimulava os participantes a fazerem narrativas pessoais dentro de certa dinâmica, nas suas condições precárias e singulares. Como coordenadora desse grupo, eu aplicava o método formativo ajudando-os a corporificar sua presença e suas falas, intervindo com a utilização clara e simples do Método dos Cinco Passos de Keleman.

Nesse vídeo me vejo enxergando e manejando completamente o processo formativo nos corpos, ativando sua potência adaptativa, dialogando com humor e naturalidade. O acontecimento grupal reverberava, promovendo expressão e inclusão. Esse vídeo, que editamos com cenas de protagonização e conceitos formativos legendados, foi produzido juntamente com Vera Laurentiis, psicóloga, e Saulo Cardoso, médico e coordenador desse projeto da prefeitura de Taboão da Serra, ambos participantes, à época, de programas de estudo no Laboratório.

Alguns dias depois do episódio dos somagramas bordados nos lençóis, encontro na secretária eletrônica, artefato em uso na época, uma mensagem cheia de alegria e orgulho por mim. A voz de Keleman dizia e repetia: "Esse trabalho é seu, você entendeu a anatomia emocional".

Posso me deter e evocar as camadas de respostas que meu corpo produziu diante dessa surpresa. Ondas de incredulidade, ondas de satisfação diante do reconhecimento, ondas de confiança em um desejo. Senti-me validada pelo interesse e encantamento de Keleman por esse modo de aplicar o processo formativo nos nossos tristes trópicos. Parecia que eu havia tocado seu coração. Cerca de dois meses depois, veio o convite da comissão para participar da revista.

Escrevi um artigo no qual incluía no pensamento kelemaniano o grande coletivo, para além do romance familiar, como a instância pós-pessoal do corpo nesses nossos dias regidos pelo capitalismo global. Keleman se refere a essa instância pós-pessoal como "a sociedade" e "a comunidade", o que é evidentemente muito pouco para nossa realidade contemporânea.

Bem mais tarde, mais de uma década depois, reescrevi o artigo, mais sustentado e organizado, e o publiquei a convite da *Revista Ide*, da Sociedade Brasileira de Psicanálise de São Paulo. Ali apresento o trabalho de ensino e pesquisa no Laboratório do Processo Formativo, traçando sua construção histórica, política e conceitual.

Não posso dizer que já não houvesse tentado muitas vezes conversar com Keleman sobre o conceito de inconsciente capitalístico, de Deleuze e Guattari, ao que sempre se mostrou refratário. Não lhe interessava aproximar suas ideias de outros autores. Dava sempre pouco crédito a ideias contemporâneas às suas, ou mesmo a autores anteriores que pudessem tê-lo conduzido ao seu entendimento magnífico da vida do corpo. Poucos nomes constam entre seus influenciadores, em geral relações próximas, como Nina Bull ou Karlfried Graf von Dürckheim. Sua linguagem intuitiva, contemplativa e cosmológica sempre o colocou num campo mais próximo da literatura e da arte, mesmo que ele utilizasse a terminologia das ciências biológicas para abordar e descrever a realidade viva onde estamos imersos e formamos nossa vida em particular. O desenvolvimento de suas ideias formativas sempre seguiu a trilha do pensamento evolucionista de Darwin.

Os autores de sua geração buscaram se diferenciar do comportamentalismo e do tom cientificista das abordagens americanas. A sua foi uma geração libertária e poética. Até mesmo para um físico de peso como Fritjof Capra, o importante era a intuição cosmológica descortinada pela atitude meditativa, portanto corporal.

Mais tarde, Keleman acrescentou ao seu panteão de influências Joseph Campbell, o mitologista, e, anos depois, Gerald Edelman, o neurocientista.

A geração de Keleman descobre o corpo ainda nos anos 1950 e o experimenta de todos os modos, absorvendo a influência dos europeus imigrados durante a Segunda Guerra e depois dela – criadores de uma grande variedade de educações para esse corpo, buscando sempre vivê-lo e afastá-lo da rígida educação europeia que havia desembocado na disciplina nazista. A rigidez do corpo americano, vencedor da guerra, branco e protestante, trazia grandes semelhanças com o corpo nazista. Philip Roth, em seu livro *Complô contra a América*, abrindo essa dimensão da subjetividade americana, criou uma ficção sobre o pós-guerra na qual um presidente nazista é eleito.

A geração de Keleman, na sombra de Wilhelm Reich, já refugiado nos Estados Unidos, desenvolveu aquilo que chamamos hoje de educações e psicoterapias somáticas. Mas foram décadas, entre os anos 1940 e o segundo milênio, até que se instalassem os métodos e as escolas autorais fortemente defendidas em suas diferenças, com seus modos de transmissão, reprodução e validação que conhecemos hoje e se espalharam pelo mundo. A vocação americana para a privatização é muito forte.

Em seu último livro, *Mito e corpo*, lançado originalmente em 1999 e publicado no Brasil em 2001, de cuja revisão técnica e apresentação também cuidei, Keleman mostra sua opção pelo conceito de inconsciente coletivo jungiano e apresenta em seu dispositivo filosófico e clínico mais uma camada do processo formativo do corpo, em seu processo de formar um adulto, como ele diz. A compreensão e corporificação do mito do herói do círculo arturiano do Santo Graal apresenta-se como o fio condutor dos conceitos de organização da maturidade de um corpo e de sua individuação. Keleman introduz aí seu conceito do adulto maduro e o uso do Método dos Cinco Passos como ferramentas para ativar o processo formativo na produção de diferença – ou quando o chamado adulto jovem produz uma adaptação mais fina ao presente. Essa seria sua proposta de um antídoto para a captura dos corpos pelos estereótipos sociais. Essa ideia é fruto da visão desenvolvida em seus anos de parceria com Joseph Campbell, em *workshops* de corpo e mitologia.

Para minha surpresa, meu artigo não só foi rejeitado como ali mesmo fui excluída da comunidade. Eu teria cometido um ato de rebeldia e desrespeito.

A partir do malogro desse episódio em 2006, tem início – segundo a linguagem kelemaniana no livro *Realidade somática* – mais um recomeço, um *new beginning* no *loop* formativo da minha vida, cheio de medos e energia, muito semelhante ao que se iniciara em 1973, quando eu não encontrava mais um modo de seguir formando uma vida adulta num Brasil sufocado pela ditadura. Nesse momento, como Caetano e Gil, resolvemos, meu marido Wiktor e eu, deixar a toxidez mortífera do ambiente brasileiro para nos recolher por um tempo na serenidade de Londres. Wiktor faria seu pós-doutorado em Física Quântica na Universidade de

Londres com o mítico David Bohm, e eu me juntaria aos grupos neorreichianos que vibravam na nova cultura do corpo nos primeiros espaços alternativos que despontavam.

Até essa reviravolta do destino, vivíamos com as nossas meninas, minhas e dele, na inesquecível casa de fundos da rua Tucuna, bairro Pompeia. Nessa casa dissolvemos nossa vida passada – eu da moça brasileira de classe média e ele do judeu, criança sobrevivente do Holocausto; eu da formada em Filosofia e publicitária, ele do físico e professor da USP.

Não sabíamos que a enorme força da experiência dessa migração faria que logo separássemos nossos projetos de vida.

5 Keleman em pessoa pela primeira vez, em 1974

Quando vivia em Londres, participei de um *workshop* intensivo de uma semana com Nadine Scott, minha *group leader* de bioenergética. Esse encontro na Holanda reunia três grupos liderados por ela: o nosso, de Londres, um da Holanda e outro americano. Nadine era oriunda do grupo de Alexander Lowen em Nova York. Os terapeutas e os *group leaders* naquele tempo eram todos originários da psicologia humanística americana ou influenciados pelo seu estilo. Todos cria de uma cultura de grupos que vinha em formação desde o final dos anos 1950 nos Estados Unidos.

Há alguns anos, Keleman deu uma entrevista à Charlotte Selver Foundation, hoje Sensory Awareness Foundation, na qual descreve essa vida em Nova York em seus anos de juventude, recheada de amigos, festas, encontros e experimentações[2]. Nesse cenário se gestou, com a chegada dos europeus pioneiros de métodos e visões do corpo, a cultura em cuja fonte nós brasileiros bebemos e continuamos dando de beber. Nunca deixei de reconhecer no movimento dessa geração a influência da geração

---

2 Disponível em: <http://centerpress.com/interviews/charlotte.html>. Acesso em: 28 out. 2020.

imediatamente anterior, a dos poetas *beatniks*, com suas amplas intuições do budismo, sua visão política da América, sua honra à literatura americana, sua presença nas grandes e pequenas manifestações da década. É sensível como esse ambiente dos primeiros do corpo é influenciado pela juventude imediatamente anterior, poética e ativista.

O aspecto de resistência e invenção cultural se perdeu gradativamente com o endurecimento dos tempos e o com lucro capitalístico que esses saberes e práticas passaram a render.

Nunca deixei de visitar, em todas as minhas idas a San Francisco, Califórnia, a livraria City Lights, vizinha do Vesuvio Cafe, na Columbus Avenue, um templo anarquista e poético onde me acolhiam, no silêncio e no cheiro dos livros, as sombras dos *beatniks*.

Foi o tom consonante com a incrível cultura que brotou na Bahia, nos tempos mais autoritários do Brasil, narrada por Caetano Veloso em *Verdade tropical*, o nosso Tropicalismo, que me atraiu para essa outra cultura, a do corpo, portadora de algo profundamente real e existencial para a vida dos jovens.

Aquele modo de aparentar do jovem Keleman era o modo característico desse perfil subjetivo de *group leaders* americanos que despontava nesse início de uma cultura. Eram amigos americanos que viajavam de lá para cá liderando grupos, fazendo *talks* filosóficos, alguns que já haviam lançando livros àquela altura. Em suas andanças, atendiam pacientes em sessões avulsas para que, em seu estilo terapêutico (todos eram muito ciosos de suas descobertas pessoais e métodos clínicos), fossem trabalhadas as questões que nos impediam, pobres mortais, de ser livres, expressivos, intensos. A iluminação *beatnik* – política, sofrida, alcóolica, budista – havia se transformado nesse outro ideal geracional. Eram americanos com roupas confortáveis, expressão aberta, autoconfiantes, um tanto narcísicos, sabedores do impacto que causavam nos que se aproximavam ou nos que se inscreviam em *workshops* atraídos pelas lendas narradas por outros que já haviam experimentado a força desses trabalhos, desejosos de assimilar, aprender e, sobretudo, expulsar de si as resistências ou traços de caráter que impediam que fossem eles mesmos. Vinham de Esalen, na Califórnia, ou do ambiente de Lowen em Nova York. Gostavam de se referir com intimidade a mestres como Lowen. A intimidade respeitosa é um traço que permaneceu na relação mestre-discípulo ao longo das décadas em que essa cultura veio se instalando; por exemplo, as pessoas do hoje grande círculo kelemaniano se referem a Keleman como Stanley. Isso era uma espécie de privilégio democrático. Mas, naquele momento, o direito de ser si mesmo era tudo o que se desejava. Ser grupal e ultrapassar os traumas familiares eram o conceito de saúde.

Nessa primeira vez que o vi, aquele corpo enorme como um Hemingway, provavelmente com 43 anos, mas aparentando a solidez e a maturidade de alguém muito seguro e experiente, ele fora convidado para conversar com aquele grupo no *workshop* de Natal e apresentar seu livro *Living your dying* [*Viver o seu morrer*], tema de grande ousadia para alguém da sua idade.

Stanley e Nadine riam e interagiam como velhos amigos diante de nós. Suponho que se conhecessem do mundo de Lowen, no qual Keleman fora *senior trainer*. Keleman emanava a si mesmo intensamente, como alguém recém-libertado de outra liderança que não fosse a própria. Comprei seu livro naquele dia.

O segundo encontro se deu quando eu já morava, de um jeito alternativo despojado, com as filhas numa casinha de vila em Santo Amaro. Gaiarsa se tornara meu vizinho, com o desejo de uma vida comunitária que na verdade nunca se realizou. Eu já trabalhava no consultório da rua João Pinheiro, que compartilhava com Fabio Landa e André Gaiarsa, saídos também do consultório de Gaiarsa. No final da década de 1970, essa casa em que parte dos primórdios corporalistas foi gestada agregou, com a saída de Fabio Landa para um caminho próprio, outros membros, trazidos pelas mãos do fascinante casal de terapeutas argentinos Emilio Rodrigué e Martha Berlin, refugiados de uma ditadura tão cruel como a nossa. Foram eles os mestres que sucederam a Gaiarsa no grupo de que eu fazia parte. Agregavam psicanálise, psicodrama e psicologia humanística no melhor estilo de laboratório social argentino pichoniano.

Foi Anna Veronica Mautner, em cuja casa nos reuníamos para conversar sobre nossas experimentações com a psicoterapia corporal, que agregou as pessoas em torno de Emilio e Martha durantes os anos dessa aventura criativa, clínica, elegante, inteligentíssima e profundamente modernizadora.

Mas, neste momento, desejo evocar tempos ainda mais iniciais, quando se vivia no deserto daquele Brasil tristemente esmagado pela ditadura. Vlado Herzog havia sido assassinado na prisão naquele ano de 1975. A depressão se instalara na vida das pessoas. Fazia um ano que eu chegara de Londres, onde as terapias e experiências do corpo vicejavam e se cultivava a alegria e a verdade emocional nas práticas que os libertavam dos velhos padrões de comportamento protestantes, formais e repressivos. Um mundo muito diferente do nosso mundo escurecido que lutava com a culpa sexual, o medo da decadência social e o sadismo católicos. Eles no Primeiro Mundo e nós na terra em transe.

Eu vivia o impacto daquele cotidiano e me sentia estrangeira nesse Brasil, ameaçada de perder o *imprint* daquela linguagem da emoção e do corpo que me protegia, de afundar no pântano da subjetividade brasileira.

A primeira reconexão com o corpo brasileiro, porém, ocorreu com a leitura do *Poema sujo* de Ferreira Gullar, escrito durante seu exílio na Argentina em 1975. Nas tardes chuvosas de agosto, na solidão dos trópicos, no meu primeiro consultório aberto para uma varandinha de primeiro andar, naquele sobrado da rua João Pinheiro, ouvindo novamente a voz de Mercedes Sosa e lendo frases brasileiras que me tocavam profundamente a alma... garfos enferrujados e cadeiras furadas voais comigo sobre o Atlântico... o corpo brasileiro evocado e convocado continuamente... sanluiense, alzirense, newtoniense, nascido numa porta-e-janela da rua tal... Nesse momento, começo a fazer uma tênue ligação entre antes e depois.

Logo inicio um processo de análise no divã de Regina Chnaiderman – mãe amorosa, judia, comunista, de voz grave – e, em seguida, sonho com instrumentos de uma orquestra de um navio naufragado que começam a chegar à praia do Gonzaga, em Santos. Um piano de cauda e um contrabaixo eram mansamente trazidos pelas ondas.

Parecia que eu voltava a ouvir o som da minha voz naquela troca de vozes do divã.

Um modo de trabalhar com pessoas e corpos brasileiros começava a se esboçar naquela atmosfera rarefeita.

Em 1976, eu era pobrezinha, recomeçando a vida, muito longe dos anos do casamento quando nasceram as filhas e vivíamos, o marido suíço e eu, como uma jovem família moderna num conjunto de prédios de arquitetura socialista dos anos 1960, atrás da PUC, nas Perdizes, já adaptados e confortáveis depois de uma tentativa, capturada pelas forças coloniais, de viver uma vida despojada. Depois de muitas dessas tentativas de vida despojada, percebi que o que é possível para a classe média do Primeiro Mundo é um luxo para nós, Terceiro Mundo, e já traz a marca da nossa triste polaridade entre elite e ralé. Ia longe também a vida *hippie* que se seguira, Wiktor, eu e as crianças, cheia de liberdade criativa na casa da rua Tucuna.

Inscrevo-me entao num *workshop* de Keleman em Berkeley, Califórnia.

Quero retomar aquela língua e aquela cultura antes que ela seja tragada pela entropia brasileira. Quero compensar minha filha mais velha, deprimida em seu fim de infância, pela perda da vida anterior e levá-la a conhecer um pouco do ambiente que vivi enquanto estiveram as duas morando com os avós para que eu pudesse me salvar da doença brasileira que me matava.

Nessa pequena viagem quase sem dinheiro, ensaiando a nova vida de pobre, participei inicialmente de um *workshop* com Moshé Feldenkrais, pela segunda vez, graças a um amigo de Londres, californiano e feldenkralista.

Andávamos as duas por San Francisco restabelecendo nossa cumplicidade de mãe e filha. Após o *workshop* proporcionado por David Zemach-Bersin, de quem eu ficara amiga durante um longo *workshop* de Moshé em Londres, embarquei a filha para Iowa, para passar uns dias com uma família de vizinhos americanos do tempo do prédio das Perdizes. Não sei como tive coragem de entregá-la à aeromoça da Delta Airlines e seguir para Berkeley, onde experienciaria pela primeira vez um *workshop* com Keleman.

David vivia lá, o que me confortou bastante.

Perto dos californianos de Berkeley, eu era realmente uma mendiga, com roupas sem nenhum pedigree alternativo, sem dinheiro e sem saber como viver com pouco. Pobres é o que nós brasileiros éramos, na verdade, e continuamos sendo, em relação aos Estados Unidos.

Lembro do *appointment* que marquei com Keleman. Vários fragmentos.

Eu tinha me desfeito, havia bons anos, de todos os vestígios da vida passada, do casamento burguês patrocinado pelos pais para tentar me salvar de um destino rebelde, enxoval bordado, roupas de costureira fina, malhas italianas, bolsas com sapatos de salto combinados, tudo muito discreto e europeu, dos anos em que meus pais usufruíam de casamento e finanças estáveis, com muitas viagens para o exterior.

Foram os anos do meu encontro com o suíço aventureiro que veio a ser pai das minhas filhas e me atraiu para uma vida diferente da nossa pequenez de classe média, mas que logo foi cooptada pelo conforto colonial brasileiro oferecido pela minha família. Esse foi um grande amor que encontrei no contexto dos belos tempos imediatamente anteriores ao golpe militar, quando o Brasil resplandecia de esperança, após os anos JK.

O desejo da justiça social percorria o país, a elegância e a autoestima brasileiras vigiam nas relações e nos modos de vida.

Nos breves anos que se seguiram à separação desse casamento, dissolveu-se o que deve ser visto como muito mais do que um casamento: um modo de me configurar inteiramente como pessoa feminina. Esse modo de subjetivação, como aprendi a dizer mais tarde, se tornara insustentável nas novas condições brasileiras, como escrevo em outros momentos deste livro. Sob o poderosíssimo impacto do Tropicalismo e, a seguir, da contracultura, aquele primeiro corpo se desconstruiu inteiramente, num *ending* gigantesco, usando aqui a linguagem de Keleman em *Realidade somática*.

Como Caetano e Gal, ciente da nossa geleia geral, eu passara a configurar um estilo de vida e valores com roupas *hippies*, depois étnicas, usadas, modestas, fazendo questão de me expressar como uma metamorfose ambulante. Lembro-me de um vestido berbere, gasto pela vida do deserto, que comprei anos mais tarde no mercado de Portobello. Essas roupas naquele momento configuravam nossa pobreza, liberdade e nomadismo, um figurino de *middle ground*, provisório, fragmentário, onírico. Tudo muito longe do figurino burguês brasileiro, suas coreografias e desejos nos brilhantes inícios dos anos 1960. Surgia outro figurino, para outro corpo, dentro de uma outra dramaturgia, para um longínquo *new beginning* que se esboçava em um outro mundo.

Keleman comentou naquele dia: "Como a filha de um médico se veste de trapos?" Ele era sem dúvida um crítico da liberdade californiana que se instalara desde os movimentos estudantis. Keleman não gostava dessa desconfiguração contracultural preservada na chamada república socialista de Berkeley e tratava de se diferenciar. Vestia-se sobriamente em um sóbrio ambiente californiano. Não queria participar do que considerava um modismo raso.

Tirei então toda a roupa e apareci inteiramente nua.

Nas terapias corporais do tempo de Londres, no ambiente Gerda Boyesen, sobretudo, isso era estimulado e permitido. Gerda, mãe boa escandinava, valorizava a inocência da infância. Havia aí, também, o *zest* de uma cena americana lida em algum lugar, em que o poeta *beatnik* Allen Ginsberg, indagado sobre "o que é poesia?", respondeu "nudez" e, indagado sobre o que era nudez, tirou a roupa no palco onde estava. A memória junta coisas dos mais estranhos lugares ao disparar ações. Admito que o desafio ao terapeuta desse mundo superior estava posto. Queria saber quais eram os limites dessa cultura e dessa clínica, dizia minha postura. Corpo, postura e atitude já eram uma equivalência bem nítida para mim àquela altura.

Ele olhou meu corpo, indiferente à provocação, e disse: "*You have one of these native bodies*". Certamente não sou um corpo nativo, rosnei dentro de mim. Sou um corpo mediterrâneo, com certa naturalidade e imaturidade adolescentes que me acompanham pela vida afora, um corpo *underbounded*, categoria que ele cunharia bem mais tarde na sua elaboração da vida do corpo para designar funcionamentos impulsivos.

Muitas vezes, a partir da proximidade profissional que se iniciou nos anos 1990, experimentei esse olhar colonial de

Keleman sobre mim, de admiração e superioridade. A seguir ele disse, com uma expressão calma quase indiferente, para eu me vestir. O mestre não se dava conta da condição de mendiga, em seus trapos tão expressivos, desta brasileira, ou sul-americana, estranha e intrusa ao território do colonizador que se recusava a mimetizar a elegância discreta e confortável dos personagens daquele cenário da Universidade da Califórnia, onde ele alugava uma grande sala de aula para seus seminários, *Winter* e *Summer*.

Naquela primeira vez, as imagens da cidade, do *campus*, da opulência discreta dos materiais, do espaço, dos carpetes, das maçanetas, das torneiras, o belo e o sólido, os cheiros de limpeza, as árvores, as madeiras, as ruas de filme com suas casas vitorianas falavam muito mais alto do que a voz desse autor, senhor de seu entorno, que ressoava como um texto de fundo. Duríssimo não ter o desejo capturado por essas imagens de segurança e prosperidade, por essa língua onipresente no Brasil, que já havia entrado pelos sete buracos da minha cabeça – como dizia a canção de Caetano cantada por Bethânia, no trágico 1970 brasileiro –, anunciando ambiguamente a invasão colonizadora aos vencidos, das camisetas ao rádio do carro, e deixar-me, sem resistência, diluir numa identificação maciça de um vínculo fusional, como aprendi a reconhecer mais tarde. Mas eu resistia bravamente na minha pobreza guerrilheira, sentindo que, na capital do consumo, residia o demônio que escravizava o Brasil naqueles intermináveis anos de ditadura. Nas lojas, nas livrarias, pelas ruas de Berkeley, encontrava-se toda a matéria de expressão, como aprendi a dizer na língua nômade de Guattari que descobri mais tarde, para a composição de uma configuração de si incluída e descolada.

Mas eu me sentia terrivelmente *awkward*. Era inadequada e não queria ter o menor movimento em direção àquela adequação. Mas desejava com todas as forças aquele saber, aquele manejo do processo corporal, movida por um desejo e uma ambivalência intensíssimos que passaram por muitos graus e variações ao longo dos anos, mas nunca deixaram de existir.

Nesse *workshop*, Keleman nos fazia praticar em pares, sobre os macios carpetes da sala onde se dava o encontro, no clube dos professores da UC Berkeley, dentro do *campus*, o reconhecimento dos diferentes tônus dos corpos, manipulando suavemente o braço do parceiro. Reconhecia aí a técnica desenvolvida por Nic Waal, aluna de Reich na Escandinávia. Era ainda 1977 e ele preparava o que viria a ser sua compreensão do processo formativo de corpos da sua anatomia emocional. Os corpos eram mostrados como uma configuração anatômica e tônica que expressava o processo desse corpo em particular formado em seus ambientes vinculares, ao longo de uma vida. A ideia era sentir e identificar-se com aquela concretude tônica de sua forma, que às vezes ele chamava de personalidade somática, em pleno funcionamento, uma operação no presente, sem interpretações secundárias.

Em outro momento, mostrava um pequeno filme super-8 no qual corpos e suas formas refletiam histórias de vida encarnadas e seu funcionamento. Os primeiros momentos da linguagem do *embodiment* estavam em andamento. Lembro de algumas cenas desse filme em que apareciam corpos psicóticos, inflados e descontidos vagando. Realidades somáticas, claramente, se mostravam em *slow motion*.

Nessa época, Keleman publicava também, sazonalmente, a revista *Biological Experience*. Eram espantosas sua produtividade e sua capacidade de agregação de pessoas. Ele já lançara *The human ground, Your body speaks its mind* [O corpo diz sua mente] e *Living your dying* [Viver o seu morrer]. Era respeitado por pessoas leigas e membros da academia, pelo que se podia ver em seu ambiente e nas referências dessa revista. Na verdade, eu nunca conhecera uma pessoa assim.

Na situação de sentados em fileiras curvas diante de um imponente Keleman postado confortavelmente em sua cadeira sobre um estrado contra a luz da janela que se abria para as árvores do *campus*, participantes apresentavam questões sobre a tarefa em foco desse encontro: a descrição de ações narradas, finamente, em sua configuração anatômica. Era o início do que viria a se configurar como o exercício-base do processo formativo, o exercício do como ou exercício dos cinco passos. Como você faz o que faz? Reconheço aí algo da concretude da presença do meu treinamento zen com o sensei Tokuda, nos primórdios da década, em Campos do Jordão.

Na banca de livros no Center, reconheço os livros do mestre zen ocidental Karlfried Graf von Dürckheim, filósofo da Floresta Negra cujo famoso livro *Hara* eu já conhecia. Ele foi uma influência importante na concepção do processo formativo de Keleman.

O budismo entrou nos Estados Unidos no século 19 e se expandiu em certa classe intelectual por ressoar, no cultivo da ação e da presença, o pragmatismo e a tradição religiosa no diálogo solitário com Deus, característico das práticas bíblicas dos Pioneiros. Por esse combinado de influências, a tradição do desenvolvimento pessoal americano sempre prezou as instruções corporais que se multiplicaram infinitamente ao longo do século nas práticas do desenvolvimento espiritual, educativo ou psicológico do corpo.

As pessoas lá já não eram mais *hippies*, como eu ainda me apresentava em minha precariedade. Lembro-me de um participante americano de sandálias de plástico rosa e bermudas cáqui problematizando com Keleman os *frames* da sua experiência de correr naquela manhã no *campus*. Os tempos já eram outros. Lembro que desejei me apresentar como um *Indian chief* ali sentado, estrangeiro ao grupo e àquele tempo. Eu me sentia assim. Fervia, densa, com sentimentos informes. Mas Keleman não me deu a menor bola e eu, intimidada, não entendia as instruções de como dar forma a essa imagem.

As narrativas de vida que conhecemos do cinema, das canções, das fotos, dos romances se evidenciavam nos corpos, na linguagem, nas referências, nos figurinos, nos cenários dos participantes. A formação do corpo das pessoas e suas histórias pessoais se davam, como sempre se dão, nessas ecologias, muito diferentes das minhas, terceiro-mundistas. Mas essa língua já havia penetrado em nós brasileiros de muitos modos, e o corpo reagia estranhamente ao se dizer e ser dito em inglês. Acreditávamos que era esse mimetismo profundo que daria jeito ao nosso sentimento brasileiro de viralatice.

Tal como se configurou nos anos da psicologia humanística, a *culture of the self* é admirável e extremamente útil até certo ponto, mas não como finalidade em si, da forma como passou a ser praticada na vida individualista do desenvolvimento pessoal, nesse mundo branco americano, especialmente o da Califórnia –

o estado mais rico do planeta, que eu estava conhecendo e viria a conhecer um pouco mais em décadas posteriores. Diferentemente deles, a minha conversão para essa cultura da transformação pelo corpo trazida pela contracultura se deu em clima de América Latina, onde o sentimento coletivo de ser parte de uma realidade política era a tônica principal. Eu sabia, ali, em Berkeley, que vivia numa ditadura latino-americana, instalada no Brasil pelo governo americano, e que eles deveriam me pedir desculpas por isso. Mas eles nem sabiam de onde eu vinha. Eu conhecia esse olhar, nos suíços, de longa data.

Porém, desde o primeiro momento, senti que outro destino devia ser dado a esse conhecimento, do mesmo modo como a Tropicália havia incluído o som da guitarra elétrica na sonoridade brasileira.

O sentimento de raiva diante do não reconhecimento de toda essa diferença cresceu muito lentamente em mim até o desafio a Keleman nos seus 75 anos, que narro mais adiante. O modo como mandei o artigo para a revista da qual seria uma honra participar, sem nenhuma explicação adicional, indubitavelmente foi carregado por essa intensidade acumulada ao longo de muitos anos. Hoje talvez eu tenha uma perspectiva mais clara desse Brasil ambivalente que também desejava e deseja a colonização. Caetano Veloso, em *Verdade tropical*, confirma essa ambivalência.

Por outro lado, esse lugar de Terceiro Mundo nos faz sentir na pele nossa condição de personagens da história social, muito distante do foco no indivíduo e na pessoa do olhar americano. E isso é muito bom.

Já nos anos 1980, eu era uma mulher, criando filhas com o fruto desse trabalho com o corpo e suas narrativas em uma casa na rua Ilhéus. Vivia, nessa década, os anos da análise com Antonio Lancetti, argentino, exilado, divã que sucedeu, por mais dez anos, o de Regina Chnaiderman após sua morte.

Essa era a configuração de uma vida que seguia e parecia vingar encontrando encaixe num Brasil que chegava ao fim dos seus anos de chumbo.

Aquela vida de trânsito com o Primeiro Mundo já ficara para trás nas minhas possibilidades e no meu desejo. Queria estabilizar. As Diretas, os movimentos de rua, os comícios da fundação do PT ativavam uma alegria de corpos, festas, movimentos abertos que haviam sido interrompidos por mais de 20 anos. Estar no Brasil ficara de novo bom. A cena de São Paulo refletia talvez o que se passava no resto do Brasil. O clima era propício para a vida em grupo, nos bares da vila Madalena, na piscina do Bidezão[3]. Era como se um trio elétrico animasse a todos.

Queria viver e trabalhar naquela casa. O Ágora Centro de Estudos Neorreichianos, recém-fundado pelos primeiros corporalistas de São Paulo – que depois se fechou em torno de mim, de Liane Zink e Carlos Briganti –, crescia e agregava pessoas desejosas do alternativo, das práticas de corpo e de grupo, de se expressar corporal e emocionalmente, de viver a experiência do contato corporal, de agregar alguma linguagem psicanalítica e reichiana a seus mundos subjetivos, de armar uma profissão de terapeuta, quem sabe. Eram médicos, psicólogos, bailarinos, fisioterapeutas.

---

3 Trata-se do Clube das Bandeiras, em Pinheiros, então frequentado pela esquerda festeira.

Convivia com Suely Rolnik, e o mundo esquizoanalítico se desenhava com as vindas de Félix Guattari, com os livros que eram publicados e os encontros de redes autônomas que se formavam. Parecia haver campo para um crescimento orgânico de saberes e práticas ligados a um país que voltava a crescer em sua verdade e autoestima.

Eu trabalhava num estúdio que fiz construir na garagem daquela casa alta, de 1928, alugada de alemães, que me trazia de volta à casa da família Favre em Chamoson. A casa era ampla, ventilada, com quatro quartos, três salas, uma incrível escada de madeira em caracol ligando o *hall* do andar de cima ao *hall* de entrada, um quintal de árvores em uma rua que era um verdadeiro pulmão em São Paulo. Sentia a felicidade de conviver todo o tempo com as filhas, comer na cozinha, receber amigos que passavam durante o dia. Pássaros, insetos, latidos de cachorros, cheiro de lenha queimada emolduravam meu trabalho ao longo do dia. Eu recuperava os tempos zen-budistas do início dos anos 1970, em Campos do Jordão. Uma vida poética se desenrolava juntamente com as estações e as horas.

Nesses anos, eu ensaiava um estilo próprio de trabalho nesse ambiente fortemente alternativo com um modo de viver que ainda me permitia ser pobre. Sentia estar honrando as origens do saber corporalista. As condições da classe média, por um breve tempo, permitiam uma vida profissional não instituída, com estilo. O terapeuta corporal aproximava-se do artista em seu estilo de trabalho. Isso me expressava.

Atendia pacientes individuais, grupos, fazia grupos de movimento ao estilo de Nadine Scott, com grandes mobilizações, ensinava o que estudava, o que já sabia e experimentava no início do Ágora. Havia uma cumplicidade com Liane Zink, amiga e parceira nas experimentações fecundas da primeira década do movimento corporalista brasileiro. A distância ainda não havia se estabelecido entre nossos mundos, o que foi ocorrendo à medida que a história brasileira avançou na nova realidade capitalística que se desdobrou nas décadas seguintes.

No início desses anos, conheci o famoso ensaio de Virginia Woolf, *Um teto todo seu*. Nessa obra, ela afirma que, para ser artista (ou criativa, ou escritora, não me lembro bem), uma mulher necessita de um teto todo seu e uma pensão de xis libras por ano. Esse bordão se tornou um mantra para mim. Passei a guardar dólares, naqueles anos terríveis de inflação, numa bolsa de crocodilo do tipo Eva Perón que comprara em Buenos Aires. No final da década, descobri, um belo dia, que havia acumulado o suficiente para comprar um apartamento de dois quartos na rua Alves Guimarães, em Pinheiros. E comprei o primeiro teto todo meu onde minhas filhas foram morar numa primeira experiência de espaço próprio que logo se converteu em aluguel e, em seguida, em parte do pagamento pelo apartamento em que moro até os dias de hoje desde os anos 1990. Tudo isso significava trabalho, muitas horas de trabalho, as tais xis libras por ano.

Minha confiança aumentou aos poucos, sempre em meio a muita angústia de ilegitimidade. A ilegitimidade foi sempre um tema forte no campo corporalista em sua busca do internacional.

6 Sobre começar: a vida no corpo tem muita força quando manejada adequadamente

"Devo voltar a dormir ou lutar para retomar o texto deste livro em seu estado embrionário?", pergunto-me ansiosamente com o lápis na mão.

No momento sempre relembrado de 1970, de falência de referências e desafio da sobrevivência, pessoal e coletiva, só o corpo poderia ser a realidade, a âncora, o presente, a fonte de recursos para prosseguir naquele início de década no Brasil. O corpo estava na música, no teatro, nas artes, na política – e também na tortura, nas notícias, na Tropicália, no prazer de existir apesar de tudo, nos encontros. Necessito urgentemente da experiência acumulada no corpo, em suas múltiplas camadas de elaboração, neste momento em que parece que encalhei.

Encalhei. Para sempre?

Eu poderia dormir para desativar esse acontecimento de uma cabeça que parece uma TV fora do ar, fervilhando pixels. Mas escolho assumir a forma do presente radical deste processo corporificante que sou, no tempo e no mundo. Sei fazer isso, sei fazer corpo neste viver corporal, muitas vezes excessivo e transbordante. Aprendi com Keleman algo para o que já tinha talento, tendência e uma razoável experiência como corporalista que já era, ao começar a me expor diretamente à sua influência.

Tomo entre as mãos esta cabeça fora do ar, formatando a expressão de desamparo e derrota. Todos os sentimentos e emoções do corpo têm sua configuração anatômica e fisiológica e sua função adaptativa, como descobri com Darwin em *Expressões emocionais nos homens e nos animais* e, mais tarde, no pensamento formativo de Stanley Keleman.

Estou aceitando aqui vivenciar, o mais plenamente que posso, essa experiência de ter sido vencida pela tarefa e acolho no corpo sua configuração em pleno funcionamento. Isso requer muita confiança adquirida nesse modo de **funcionamento somático--emocional**. A forma sustenta a experiência, a qual, por sua vez, prossegue enquanto permanece a configuração somática. Isso quer dizer que, para mudar a experiência, preciso saber mudar primeiro a forma da sua expressão anatomicamente estruturada.

Enquanto mantenho essa postura da cabeça destroçada por dentro, entre as mãos, sustento a vivência catastrófica configurada por essa expressão emocional. Isso é Keleman reverberando William James por intermédio de Nina Bull: o comportamento antecede a experiência e, diante do estímulo, o comportamento se desencadeia primeiro.

Mas a vida quer prosseguir. Sempre. Há que descobrir como aguentar esses momentos agudos trazidos pela emergência do comportamento e praticar a sintonia com o impulso de continuidade da vida. Há que aprender a se identificar com a biologia evolutiva de modo simultaneamente contemplativo, e não justificativo, a fim de criar estratégias para lidar com o que vivemos com os corpos que somos.

Já sei que se eu pausar nesta forma por um momento e aplicar, fina e intencionalmente, uma **intensificação** sobre a configuração corporal que se apresenta, sustentar e lentamente deixar que se desorganize a forma deste aperto aflito, a cabeça se esvaziará de sua excitação, lentamente, e poderá se preencher, a seguir, de outras imagens quando as imagens que estão aqui regendo a experiência, no caso, de **expectativa de um fracasso que fatalmente virá**, se diluírem. A cabeça apertada, contraída, que aprisiona uma intensidade explosiva, aterrorizadora, deslizará para uma forma de **mais receptividade ao acontecimento**. As **camadas** que envolvem o cérebro, dos músculos que cobrem o crânio aos ossos e membranas, poderão se suavizar; a pressão da excitação se diluirá um tanto, e um pulso mais ameno se instalará, configurando um estado de cabeça a que poderemos chamar de **receptividade** – ou seja, de **confiança** – em relação ao que me chegará em seguida.

Essa **apropriação da forma do comportamento** que modela a experiência é o **primeiro passo** da **prática de corpar**, chave para o manejo do processo formativo formulada por Keleman.

E chega, efetivamente, uma imagem. É uma cena singela, reconheço, de *A caixa preta* de Amós Oz, para mim seu livro mais belo. A personagem central da narrativa, já casada com seu segundo marido – um judeu religioso oriundo de uma comunidade de sefardita de Paris, modesto, muito diferente do primeiro, um judeu intelectual, herdeiro de algum parente rico, ex-combatente do exército israelense, competitivo e arrogante que passou a viver em Nova York como professor universitário –, senta-se com seu copo de chá quente, na varanda de sua casa também modesta, após passar pilhas de roupa e colocar a filha no berço para dormir, e descansa contemplando o deserto.

O chá quente refresca do calor uma mulher que se tornou modesta e põe o corpo para descansar. Essa é a imagem que me guiará de volta para a trilha da continuidade.

Enquanto seguro a cabeça entre as mãos, estou exercitando uma regulagem dessa pressa de produzir algo escrito. Mas, aplicando o saber formativo sobre o corpo, seguro a cabeça apenas para lhe dar suporte, e não mais a agarrando para que não exploda, e passo aos poucos a deixar de antecipar o desastre que seria não conseguir chegar ao horizonte do livro pronto. O contato continuado com Keleman, ao longo dos anos, me permitiu aprender a confiar em que as respostas involuntárias do corpo acontecem todo o tempo e que esse é um dispositivo que torna nosso corpo confiável inconscientemente para nós. Mas aprendi também que não precisamos ficar prisioneiros desses comportamentos mais primitivos. Podemos agir intencionalmente sobre eles.

São muitas as ações que compõem essa pequena dramaturgia pessoal a serem corporalmente refinadas. O aparar a cabeça destroçada, vencida, entre as mãos pode ser substituído por repousar para esperar que chegue algo. Ou simplesmente repousar.

São pequenos ajustes nos fotogramas de um contínuo das expressões de um corpo. Toda expressão pode se intensificar ou se desintensificar numa sequência de fotogramas, entre a expansão e a contração de uma forma. A irritação, por exemplo, pode ir até a fúria, passando por muitas expressões intermediárias, como desagrado, ameaça, raiva. Cada fotograma conecta o corpo de um modo diferente ao acontecimento presente.

Entre a derrota e o repouso há uma pequena trilha de formatações, pulsos, intensidades e consistências a ser percorrida intencionalmente, finamente, fazendo cérebro e músculos conversarem – como prescreve Keleman com seu método.

A imagem da mulher que se tornou modesta e acabou de passar uma pilha de roupas começa a ativar uma alteração na sólida organização corporal desta mulher habituada à conquista de horizontes e que teme o fracasso. Vivemos em uma cultura do sucesso, na qual fracassar não é a compreensão de limites, mas a destruição. Estou em plena aprendizagem de **como** escrever um livro. Isso implica o impulsionamento de uma grande mudança corporal atitudinal, comportamental, existencial. Inicia-se um novo campo e um novo corpo, que é o da Regina-que-escreve-e-publica-livros. As formas corporais estáveis, os padrões, condensam o que, em alguns sistemas de pensamento, se chama **hábito** e, em outros, **caráter**. Mas, com o acolhimento do **padrão de funcionamento** e sua intensificação, emerge e se apresenta uma imagem a ser corporificada, uma modelagem de corpo a ser experienciada e praticada. A imagem da mulher modesta que me chegou à memória após a pequena experimentação com a forma involuntária é um molde corporal a ser utilizado para que eu possa sair do impasse e prosseguir. Imagens afetam corpos.

Um dia, talvez, eu escreva com a simplicidade de uma mulher que passa roupa. A mulher que passou roupa e colocou a filha no berço segue recebendo dias e horas com seu corpo que sabe repousar, formando com eles o que ainda não existe, em pulsos largos de tempo. Sua imagem afeta minha formatação corporal, agora.

Modestamente, acolho as mãos fracas que seguram o lápis. Vou encarar o que parecia **excessivo** e torná-lo **assimilável** como material formativo para dar corpo à continuidade.

Vou começar a atravessar a passagem apertada e difícil do tronco cerebral e me expandir no ambiente do sistema límbico. É parte do exercício de levar para cima o leão.

"Intensifique as mãos fracas", ouço agora na voz profunda do grande corpo de Keleman. Intensificar, no caso, seria fazê--las mais fracas ainda. **Intensificar** é evidenciar para o cérebro aquilo que o corpo, com seus músculos, já está configurando para expressar em sua relação com as intensidades presentes – no caso, o **desafio** de começar a escrever. As situações com suas intensidades desafiam nossa **anatomia individual**, que, por sua vez, é a forma estabilizada dos comportamentos que agregamos como a trama da nossa **forma corporal**.

A alteração intencional do tônus muscular sobre a **organização anatômica** de determinada ação é parte essencial da **prática de corpar** (*bodying practice*). Esse manejo alimenta a relação entre as paredes do corpo e o córtex, ativando o **processo corporificante** (*bodying process*) em andamento. Estamos sempre gerando e formando corpo, esse é um fato que todos reconhecemos. A **estratégia em cinco passos** obriga o cérebro a operar com pequenas diferenças e produzir uma recombinação de mapas neurais e organizações motoras que funcionam melhor para a adaptação daquele corpo ao acontecimento em curso por meio de uma modulação mais atual de suas ações.

Como experienciamos todo tempo, quer queiramos ou não, a seleção natural que atua na filogênese funciona igualmente na ontogênese. Escolhemos e escolhem-se em nós as modulagens de comportamento que melhor nos conectam às situações em curso que se apresentam para nós o tempo todo. Essa é nossa experiência constante. A **prática formativa** ativa nossa potência de produção de corpo e de seleção de diferenças nos **modos de corpar**, dando continuidade ao impulso adaptativo evolucionário universal que atravessa as vidas em particular.

Essa aparição reconfortadora de Keleman me indica que o melhor modo de introduzi-lo aqui, como já estou fazendo, é por meio de seu **método de corpar**, essa poderosa ferramenta que há muito me acompanha no ato de moldar a continuidade da vida – e me acompanhará nesta tarefa, evidentemente corporal, de escrever um livro. Selecionou-se uma continuidade. Não estou presa, neste momento, à exigência de enfrentar a profusão inicial do acervo a ser editado, representada no sonho do leão. Lidar com tudo e transformar tudo em livro. O corpo prossegue se fazendo pelo seu uso, selecionando continuidades e comportamentos, adaptando-se aos ambientes, se for capaz. O ambiente presente é o da escrita.

Sim, vamos lá, Regina, faça mãos fracas. Intencionalmente.

Ondas de fraqueza percorrem meus braços e chegam até o coração, que bate pesado. Mais uma vez confirmo que a forma traz a experiência. O que reconheço nesta configuração que produzi, desta vez intencionalmente, é um **estado de corpo** que se chama impotência. Essa palavra envelopa bem esse acontecimento no corpo e não reclama de ser colocada aí. Nós, animais, desanimamos, perdemos o ânimo, a alma, diante do predador, de tudo que pode nos engolir, nos matar, nos desativar para sempre. Como se vazassem pressão, os tecidos que nos contêm afrouxam e podem deixar escapar a vida. Talvez essa seja uma estratégia de sobrevivência salva pela evolução a fim de tornar os corpos menos apetitosos para o predador.

Meus padrões corporais, formados ao longo de uma história de vida, me fazem viver o acontecimento – no caso, escrever um livro – com sentimentos e emoções de um corpo que interpreta a diminuição da rigidez competitiva de sua formatação como risco de fracasso e humilhação ou de iminência de ser predada em minha autoestima, caso eu resista ou não. O corpo, com sua estrutura construída ao logo de uma vida em seus ambientes de formação, nos faz viver não só o que vivemos mas também como vivemos o que vivemos.

Contudo, posso me apropriar de respostas, afirma Keleman, em vez de tentar me livrar delas de qualquer maneira e a qualquer custo. Esse é o **primeiro passo** na prática de corpar: pausar sobre o comportamento em questão como se selecionássemos um fotograma numa sequência de imagens de uma videogravação. Cada comportamento comporta uma sequência de fotogramas dentro de certa amplitude de variações, porque cada comportamento comporta uma formatação geral do corpo. O **corpo**, ainda não o apresentamos em sua total beleza evolutiva, é uma estrutura que bombeia o ambiente como expressão de sua presença viva. Portanto, pensemos em câmera lenta, cada bombeamento expressivo comporta uma sequência de fotogramas ou graus da forma, entre os dois polos de expansão e contração de si.

O que é e **como é** são os dois primeiros passos do **método em cinco passos de corpar. Corpar** significa, na linguagem kelemaniana, gerar corpo. Geramos continuamente, no tempo, em diferentes ritmos, o corpo que ainda não somos. Uma vez identificada a forma do comportamento que produz a experiência em questão, podemos iniciar uma artesania sobre ela. Essas formas de comportamento que necessitam ser retrabalhadas são disfuncionais, isto é, não funcionam, não se conectam de modo produtivo com a situação presente. Não se trata de buscar formas ideais, mas de aprofundar uma identificação e uma consequente agência sobre o que somos, como somos e o que fazemos para seguir formando quem somos. A vida quer prosseguir em nós. Podemos sentir a cada momento essa pressão.

O que, fisiologicamente, está acontecendo agora, aqui, neste **lugar-corpo que carrega o meu nome**? De que organização expressiva resulta esse sentir-se impotente? Vamos captar **o que estou fazendo** e **como faço o que estou fazendo** para me sentir impotente.

No pouso da atenção sobre a ação de largar, desistir, que se expressa na quase paralisia nas mãos, capto a excitação acumulada no cérebro para fazê-lo trabalhar em modo acelerado a fim de produzir pensamento, muito pensamento. Toda a excitação migrada das mãos para o cérebro está produzindo a experiência de buscar uma solução instantânea para o desafio que se tornou insuportável pela ameaça de fracasso ou falência de uma forma de corpo geral – no caso, rígida e competitiva. Em ambos os padrões corporais, o competitivo e o que sente fortemente a tentação de largar, reconhecemos a modelagem de comportamentos formados e reproduzidos na nossa realidade social de classe média brasileira: o corpo que teve alguém oriundo da classe escrava que o servisse, permitindo-lhe largar e terceirizar problemas, e o corpo da mulher moderna, competitiva, que se formou com o feminismo e o esforço de profissionalização e sustentação da vida – aliás, de forma bem dura no Brasil, já sabemos. Podemos buscar e experimentar essa arqueologia nas paredes corporais que querem desistir e ao mesmo tempo resistem duramente. Não é ruim viver esse conflito, desde que o tratemos formativamente.

Tal como as nuvens negras preparando chuva que, às vezes, contemplo da minha janela sobre São Paulo, a carga excitatória começa a se dispersar, se desconcentrar e baixar, escorrendo como uma temperatura líquida pela massa corpórea, lentamente. A base da cabeça, a nuca e os ombros que haviam se adensado muscularmente para sustentar a urgência de fazer o cérebro produzir a qualquer custo cedem aos poucos em sua consistência e fixação.

Os olhos me parecem sonolentos. Mas por um discreto ato de vontade sustento esse estado e, apenas, não me retiro do meu posto de escrita. Posso, então, contemplar a cabeça desfazendo sua fixidez e a excitação cerebral se diluindo.

Para Keleman, tudo é uma questão de aprender com a experiência vivida de modo corporificado, como estou fazendo agora neste difícil começo, e intervir nos seus **modos** e **comos**, organizando e desorganizando formas, intensificando-as e desintensificando-as em seu *design*, evidentemente corporal, de comportamento e ação. Tudo isso tem uma lógica anatômica, fisiológica, neural, uma processualidade, uma gramática, e sustenta roteiros existenciais, evidentemente também sendo sustentado por eles, numa mão dupla.

Faíscas de quase dor sinalizam conexões que se desligam pouco a pouco. Parece que **o corpo e seu cérebro**, outra magnífica formulação de Keleman muito além da formulação corrente de *body-mind*, estão desativando a prontidão para a tarefa que supostamente deveriam executar em modo de emergência. Já! Livrar-se imediatamente desse desafio de escrever tudo, absolutamente tudo, sobre quem é Keleman, o que pensa e o que você tem que ver com ele. Já. Quem é esse que criou as cartografias que guiam esta produção ao vivo de uma variação de organização somática que me permite seguir na minha continuidade produtiva pelas linhas da vida? Estamos em pleno domínio do **excessivo** para um corpo e seu cérebro processarem.

Eu poderia sair daqui, tentar dormir, desistir inteiramente por hoje, afrouxar as paredes corporais, largar. Mas por um ato de vontade, ativando a autocontenção, permaneço e apenas inibo a ação que seria a mais conhecida para aliviar esse estado insuportável, supostamente. **Inibir** (certas respostas do **hábito**) é uma bela palavra que corresponde a uma bela ação trazida para o campo dos educadores somáticos por Matthias Alexander. Apoiada nela, posso escolher, em vez do alívio imediato e improdutivo da fuga, permanecer sentada à mesa da cozinha, vivendo a meteorologia de um corpo, captando e anotando seu exato ponto formativo. Aqui estou. Existo até aqui. Aprendendo sobre continuidade e as ações que a encaminham.

Isto que acabo de escrever a lápis é real, verdadeiro, útil e merece ser digitado no texto do livro, que deverá ser entregue à editora no final de março de 2020. *Less is more*, diz o mestre de Berkeley, aplicando pontualmente às ações a sabedoria pragmática americana.

Ao me expor aqui em processo, pratico, ao mesmo tempo, um comportamento necessário recém-recortado. Não quero esconder a cozinha do que será servido pronto. Hoje, o prato do dia chama-se **começar**. Recortei do fluxo do acontecimento seu principal ingrediente, que se chama **modéstia**. E vou aplicá-la nesta produção.

A modéstia é uma formatação de corpo sustentada por e geradora de comportamentos que permitem que se ceda ao possível. Não nascemos modestos. É preciso formar os comportamentos com a experiência.

Nestes tempos de sucesso quantitativo obrigatório, de biografias oficiais e sorrisos triunfantes que se eternizam em fotos, cultivar o gosto pela obliquidade dos pequenos fracassos, das duras limitações pessoais, dos profundos sofrimentos íntimos que nos humanizam e temporalizam ativa em nós a infinita felicidade de ainda nos encontrarmos vivos e podermos surpreender a beleza do mundo e da vida revelando-se inesperadamente após certo esforço formativo. O campo desse saber empírico do corpo, por suas origens religiosas anglo-saxãs, preza as epifanias.

7 O que importa para que se escreva um livro

Passado o caos inicial que foi penetrar no campo de começar a dizer o que me cabe dizer em um primeiro livro, durmo inquieta mais uma noite, por algumas horas, e sonho que estou em um hotel, em São Paulo – isto é, a cidade onde vivo –, que oferece cachorros de companhia para os hóspedes saírem na rua. São cachorros-guia de uma raça de porte médio, pelo claro, quase amarelo, extremamente educados, dóceis, responsáveis e inabalavelmente amorosos. Beijo o cachorro que me cabe usar, tanta gratidão sinto por sua existência.

Sento-me diante do computador ao acordar, reencontrada com meu corpo, animal que me guia ao longo do tempo e me garante presença, agora nesta condição incerta de continuar a escrever para tornar nítido o percurso no qual formei uma vida, uma profissão e um território de saber prático. Isso, sim, pode ser útil. Talvez eu deseje ser um cão-guia para os que estiverem hospedados neste livro, usando suas instalações, e emprestar-lhes, neste momento, minha fiel corporalidade.

8 O patriarcado pode perder terreno no ajuste milimétrico de um corpo sobre si mesmo

Outro sonho me permitiu voltar à escrita de novo interrompida, acompanhando-se de uma insônia brava. Estou no banco de trás de um carro. Três alunos meus, jovens, dois rapazes e uma moça, interagem animadamente no banco da frente. Um professor deles que acabo de conhecer está sentado ao meu lado. Estamos encostados um no outro. Os corpos reconhecem imediatamente uma afinidade. Como é quando uma afinidade tece proximidade entre corpos? A renovação dessa experiência me inunda e me surpreende, como sempre. Começamos a nos aproximar e nos abraçar com naturalidade. Produz-se imediatamente um pensamento em mim: achei alguém. Esse pensamento, no sonho, reconheço, é produzido por um esboço do levantar-se pelas costas. Um mínimo comportamento de alerta se ativa. Leve esboço, o bastante para que em sonho eu me perceba perscrutando um horizonte. Como se ajustasse um telescópio, parece que localizo o futuro. O que vem pela frente? Para onde me levará essa primeira faísca de conexão entre dois corpos?

O cérebro frontal, que prevê, se põe em andamento. As costas ativadas começam a acordar no meu pensamento cálculos sobre o futuro, sobre a possível durabilidade dessa relação, sobre que direção esse homem dará à minha vida. O homem que protege, que produz sentido, que dá valor social cola nesse homem que mal sei quem é. Irá proteger? Irá ou não agregar valor? Ele é imediatamente submetido, na minha imaginação, a uma série de testes funcionais de uma vida e a um escaneamento rigoroso. Subtraio o perigo do presente que se expressa por sua singularidade, passando a examinar cenários em que eu possa ser dolorosamente surpreendida em consequência da entrega à experiência – no caso, da escrita.

Ele avança, me abraça e quer me beijar. O poder do patriarcado avança. Os alunos olham para trás, se surpreendem e comentam, sem crítica, que eu também sigo impulsos e sexualizo com homens, de primeira. Até eles se confundem com minha atitude aparentemente entregue.

Os limites do constrangimento se expressam, não por eu ser vista, mas por começar a me perder de mim. Contrai-se o interior do peito. Trata-se de uma pequena ação do corpo sobre si, trazendo-se de volta, guardando-se, ativando-se aqui o comportamento de desagrado pelo excesso de contato. Para uma forma corporal habituada à expansão isso é um sinal a ser acolhido.

Não me sinto segura do que estou fazendo, vamos reduzir as expectativas em relação à continuidade – da escrita, no caso. Posso ser invadida por modelizações de aceitação fácil e perder o prazer de gerar uma expressão singular. Atenção, Regina!

As formas e as expressões do corpo se fazem, inicialmente, por intermédio de ações involuntárias sobre si. Acaba de se produzir aqui, ao mesmo tempo, uma forma de contenção de si, um esboço de comportamento, uma expressão conectiva e a afirmação de um sentido para o acontecimento em curso. O coração e os pulmões tocam a música do mal-estar, do desagrado, do não querer, do não poder me trair. Mas os músculos, com o que se chama expressão, postura, atitude, desenham uma forma receptiva de agrado. Talvez eu queira mostrar também aos alunos, meu público, como sou destemida. Essa é uma terrível contradição que em grau maior ou menor as mulheres sempre viveram no corpo. E o homem insiste, despertando o mal-entendido angustiante que sempre sinalizou um limite à continuidade da minha expressão.

O patriarcado está em toda parte, não só nas relações próximas de gênero. Sinto ali que é difícil não me submeter à coreografia erótica do parceiro de banco traseiro, que já se tornou solitária, e, apesar da sensação de vergonha, deixo-me arrastar pela vontade dele – que age já não me enxergando mais. Pela passividade que se instala aparento estar gostando. Terrível essa paralisia que aparenta gostar. Ele se sentiria satisfeito se me percebesse gostando de sua imposição de certo comportamento e me premiaria com sua aprovação poderosa. Isso vale para o prêmio que recebem os comportamentos que se ajustam à forma dominante no mercado de comportamentos. Parecer descolada eroticamente é bom. Ser um sucesso de mercado é bom. Ser majoritário é bom. Esses são comportamentos premiados que nos dão a sensação de inclusão no mundo. Ao aparecermos como diferentes, singulares, corremos o risco da exclusão.

Finalmente faço um movimento brusco e me acomodo ao lado dele, encostando a cabeça em seu ombro, como se fôssemos um velho casal. A verdade em curso do encontro evapora, e a intensidade se perde. Ficamos estranhos. Numa pequena acomodação sonsa da forma somática, neutralizei o perigo suspeitado de invasão. Castrei o inimigo, mas não ganhei voz própria. No sonho. Mas aqui estou novamente escrevendo.

A mulher milenarmente acostumada a ceder, intimidada e confusa, ao poder centralizador do patriarcado, não pensem que ela morreu. A portadora ou portador da diferença, seja homem ou mulher, teme mortalmente se dizer em sua singularidade. Ela (ou ele) pode ser identificada(o) sobrevivendo em breves fotogramas de um *continuum* de ações, seja agindo como o dominador, seja vivendo a dominada que se modela segundo padrões dominantes.

Nesse sonho, moldo sentimentos com a força dos comportamentos de obediência e silêncio que sobrevivem em camadas profundas da nossa organização somática emocional, por mais lúcida, revoltada, competitiva, autônoma ou solitária que se seja. Nessas camadas sobrevive a crença de que existe uma verdade que nos protege do medo e da dúvida, um modo de fazer as coisas externo ao que convém àquele corpo em particular. O patriarcado homogeneíza, acreditando e fazendo crer na regra geral. Feminino é o que vive a diferença e o singular.

Como seria fazer lenta e explicitamente outra sequência de fotogramas?

Convém identificá-los e tentar praticar como um exercício. Mais bordas, menos bordas, mais perto, mais longe, mais expandido, menos expandido, mais poroso, menos poroso. Repetir várias vezes. São apenas micromovimentos sobre si modelando pequenas diferenciações. Pausar. Receber os efeitos da sua ação sobre si. Vejamos. Isso não é a solução final para nossos problemas. É uma busca de apropriação maior dos processos de corporificação. Aprendi isso com Keleman em seu método de corpar.

9 Nos tempos do Gaiarsa: como surfei a onda que se levantou e onde fui parar

Em 1964, ano do Golpe Militar, eu tinha 21 anos e estudava filosofia na PUC de São Paulo. Minha primeira filha nasceu nesse ano. Em 1966, J. A. Gaiarsa anunciava ao Brasil, em uma pesquisa da revista *Realidade* – leitura imprescindível para pessoas esclarecidas – como já se comportava a juventude diante do sexo, depois da introdução da pílula anticoncepcional. Uma metamorfose se anunciava para a classe média brasileira. Nos filmes de Godard, que eram assistidos em transe no cine Marachá da rua Augusta, corpos e comportamentos parisienses de jovens sexuados e politicamente rebeldes convocavam identificação e mudança. Caetano Veloso chamava para algo semelhante, no Brasil, com "Alegria, alegria", de 1967. As forças conservadoras apertavam e destruíam a vida, mas havia, ao mesmo tempo, outra força que tirava todas as coisas do lugar irresistivelmente.

Fui de imediato contaminada por aquela força. A garota rebelde, desadaptada no ambiente da classe média dos anos 1950, precocemente sexuada para sua época, encontrava seu cardume.

A cada dia, uma nova mudança de visão das coisas e de comportamento se apresentava. E finalmente fui tragada para dentro da imensa onda que se formara no Brasil. Mas a identificação com os valores da contracultura só veio um tempo depois.

Em 1970, eu tinha 28 anos, estava casada e já tinha duas filhas pequenas. Nesse ano, o corpo começara a entrar em cena no Brasil com o famoso Congresso de Psicodrama no Masp. E Gaiarsa, em seu consultório, na esquina da rua Araújo com a avenida Ipiranga, já praticava grupos terapêuticos em que o corpo, como um milagre, passou a existir para mim e muitas pessoas. Nesse ano ocorreu o sinistro campeonato mundial de futebol em que o Brasil foi campeão.

Os grupos do Gaiarsa acolhiam as pessoas nesses tempos terríveis. Lá as pessoas se encontravam, pela primeira vez viviam no próprio corpo, falavam de si, de sexo, dos medos, experimentavam emoções, dramatizavam sonhos, comportamentos e situações de vida. Era tudo muito intenso e cheio de sentido. Na calada das noites da ditadura e na intimidade dos ambientes fechados, começava a ser tecida uma cultura psi que viria a transformar inteiramente a subjetividade da classe média brasileira.

Décadas depois, Lucy Dias, na época jornalista da Editora Abril – celeiro de um estilo libertário e liberado de ser, para homens e mulheres, naqueles tempos sombrios –, lançaria um livro intitulado *Enquanto corria a barca*. Lucy evocava sugestivamente, com esse título dos Novos Baianos, a velocidade da mudança que já deslizava rio abaixo. Na capa rosa, a fotomontagem de um jovem, metade guerrilheiro, metade *hippie*, já dizia tudo sobre aquele momento. Naquele início de década, havia um corpo a ser desconstruído e remodelado, na luta armada ou no desbunde.

Percebi ali que, para não perder o pé no desmanche cultural que se apresentava, urgia fazer uma mudança corporal em relação ao que me havia antecedido: como ser mulher, como estar na onda das mudanças políticas e de novos comportamentos, como reativar uma juventude tão precocemente capturada por um modelo conjugal, onde encontrar forças para sobreviver com as filhas fora do casamento.

Vi com os olhos da sobrevivência que me cabia ter uma conversa profunda com aquele modo de me usar corporalmente para estar no mundo. Nessa migração para longe de um certo mundo mais instituído, mais familiar, em 1970, era o corpo que me guiava. Não podia mais ser de outro modo. Seria o corpo e seu uso que eu deveria abordar para acompanhar a rota da história. As forças da Tropicália, embora desativadas e exiladas pelas forças militares, prosseguiam em sua vibração *underground*.

Ao me colocar a questão do corpo, a questão da imagem se colocou logo em seguida. Assim que comecei a lidar com o corpo, me reconhecer como um corpo que se comporta, passei a buscar tudo aquilo que estava disponível naquele momento para agenciar essa transformação. As novas práticas estavam começando a chegar por meio dos argentinos, os mesmos que introduziram em São Paulo o psicodrama moreniano de que logo me tornei adepta. Estes, soube bem mais tarde, foram os primeiros da América Latina a frequentar o ambiente californiano no qual o Movimento do Potencial Humano despontava. Foi por intermédio de Pedro Paulo Uzeda Moreira, psicodramatista, amigo dos argentinos, que primeiro tive notícia do que se passava em Londres. Os psicodramatistas de São Paulo eram grandes aliados dos oprimidos pela ditadura, fossem eles militantes da luta armada ou desbundados. Como se vê, vivíamos condições muito diferentes daquelas que vim a conhecer nos tempos luminosos e libertários do corpo no mundo anglo-saxão.

Em 1970, todo mundo fotografava muito, captando a beleza selvagem dos corpos que despontava com a contracultura. Revistas como *Bondinho*, surgidas na esteira da *Rolling Stone*, agregavam fotógrafos inovadores. O rock revelou grandes fotógrafos que registravam as expressões em movimento, o comportamento em mutação. Comecei a fotografar. As crianças também fotografavam em casa o nosso cotidiano. Tudo era significativo e vivíamos uma aventura naquele início dos anos 1970, embora o horror estivesse a dois passos de nós.

Do Tropicalismo ao contato com Gaiarsa e seu espaço de psicoterapia e experimentação grupal na rua Araújo, ao mergulho na contracultura, ao psicodélico e ao zen foi um salto. Nesse movimento, mudanças corporais imensas eram convocadas, e a nova cultura jovem americana disponibilizava um mar de imagens corporais. A mutação a ser operada nos filhos da classe média brasileira era muito grande em relação àquele modelo de vida dos anos 1950 e 1960 que nos conduzira até então. Esse imenso volume de imagens, sobretudo a paixão por elas que se instaurara, foi fundamental para que os corpos se desconstruíssem e se reconfigurassem por identificação com outra moda, outros comportamentos, outras atitudes, outras práticas de relação familiar, amorosa, sexual, de trabalho, de dinheiro, de grupo, tudo, tudo.

O "como fazer" cada um desses comportamentos era explícito nas imagens. Os corpos fotografados dessa nova cultura se mostravam habitando completamente a si mesmos, e não mais se posicionando dependentes do olhar da câmera. A celebrada "naturalidade americana", a confiança no "direito de ser quem se é" se apresentava como um novo modo de existir a ser conquistado.

No Brasil, com as mídias que começavam a aparecer – os jornais e revistas independentes, o cinema marginal, as capas de disco, a poesia de mimeógrafo, contaminando a vida com uma poética da fragilidade –, sentia-se o risco e aprendiam-se, nas novas formas e usos dos corpos, as novas estratégias existenciais.

O mundo das psicoterapias que despontava era o ambiente da mutação para a classe média. Lembremos que o curso de Psicologia em São Paulo, a essa altura, existia havia menos de cinco anos, mas a mudança de perspectiva que isso operou na cultura psi preexistente foi radical. As terapias se apresentavam para uma certa classe média como eu, que se marginalizava, como a única maneira de suportar a desterritorialização violenta em curso, e os grupos, sobretudo, passavam a ser referência nessa migração. Anos depois, escrevi um poema que me retrata nessa época.

Advertimes

Fui publicitária, redatora,
no tempo em que a Tropicália nos autorizava
a fazer estripulias fora da realidade do mercado
que despontava, sob nossos olhos, no Brasil.
Quando ainda se acreditava ser possível
fazer intervenções criativas na mídia,
burlando a própria mídia.
No tempo em que nossos heróis eram guerrilheiros.

No tempo em que os jornalistas
inventavam modos de passar notícias codificadas.
No tempo em que estávamos debaixo da ditadura militar
e havia a barra pesadérrima da repressão.
No tempo em que existia aquela esquerda valente.
No tempo em que muita gente
que andava pelas agências de publicidade
era gente que vinha da área de humanas.
Gente que ia em passeata.
Gente que sonhava ser poeta,
artista, fazer cinema, escrever romance,
quem sabe voltar para as ciências sociais.
Alguns que militavam ou haviam militado em algum momento.
No tempo em que trabalhar com publicidade
não era vergonha para a oposição.
Gil havia feito pesquisa de mercado na Gessy Lever,
Capinam era publicitário, Macalé criava jingles,
Décio Pignatari jogava com a linguagem midiática.
No tempo em que Janis Joplin, a plenos pulmões,
animava nossa revolta e a imprensa nanica
nos ajudava a tirar sarro da desgraça.
Eu sentia fazer parte da esquerda criativa
e metia o pau no "sistema", o dia inteiro,
na agência, com o pessoal.
Era o tempo em que as motos japonesas estavam chegando ao Brasil
e eu tinha uma.
Montada nela, singrava o trânsito olhando a cidade,
vendo pessoas de mil mundos levando suas vidas,
"PanAméricas de Áfricas utópicas",
enquanto refletia sobre a nova realidade do mercado
e apreendia as regras do jogo da massificação.
Trinta anos, filhas pequenas na garupa,
em meio a muita angústia, medo, o chão fugindo debaixo dos pés
vertiginosamente,
vontade de experimentar, muita excitação, o olhar para além
da família,
atravessada por todos os lados.
Foi nesse trecho de vida que comecei, já meio tardiamente,

a enxergar os jogos de força
no processo formativo
do tecido social e agir considerando-me parte.
Nesses anos cruciais para o Brasil.

Exilar-me existencialmente em Londres, na rota de Caetano e Gil, foi o passo seguinte. E, lá, conectar-me com um mundo onde se cultivava uma resistência cultural às novas forças do capitalismo que se expandiam, **pela celebração do corpo e sua potência**, em vez de submetê-lo à violência da ditadura e da moral cristã, como se fazia em nosso mundo colonial brasileiro, foi finalmente o passo sem volta.

Era aguda a consciência de que uma aniquilação cultural acontecia no Brasil e de que a nova colonização do planeta se dava em inglês. Meu coração era uma terra seca e eu andava pelas ruas cantarolando Luiz Gonzaga, como Caetano. Mas, ao mesmo tempo, como uma chuva, a nova língua era absorvida, umedecendo e fertilizando um rebrotar. Escrevo meus diários em inglês, absorvo os verbos e as expressões idiomáticas da nova cultura como se fossem uma língua sagrada, as ações emocionais do corpo são nomeadas em inglês, falo de sentimentos e experiências em inglês nos grupos, faço terapia em inglês, choro, grito, me desespero em inglês. A cultura com a qual passei a lidar e lutar nos 40 anos seguintes, para o bem e para o mal, numa infinita antropofagia tropicalista, estava plantada.

10 A Regina corpo

Meu melhor como profissional do corpo desde o início sempre foi assinalar e tornar evidente, fosse pelo exercício emocional, exaustivo e expressivo, que eu já denominava "grupo de movimento" – como em seu ambiente originário anglo-saxão –, fosse em uma conversa clínica ou num simples toque corporal, que ali estavam corpos.

Esse evidenciar-se físico se desenvolveu nitidamente como uma marca importante do meu trabalho clínico e pedagógico. Naqueles tempos primordiais dessa cultura, a presença, o toque, a conversa sobre a expressão do corpo levavam a lugares muito estranhos a classe média brasileira, paulistana no caso, mais estranhos ainda do que aquilo que Gaiarsa já propunha em seu ambiente. A presença comigo era mais vívida do que no mundo dele, em que os resquícios médicos eram facilmente identificáveis. Gaiarsa olhava muito, avaliava muito – e eu diria que julgava muito. Gaiarsa desejava ser próximo, até demais, mas nunca deixou de ocupar um lugar de poder. Minha presença despojada e quase crua era algo que não só tinha que ver com a experiência no mundo do corpo anglo-saxão mas também com o desamparo que eu vivia nesse recomeço de vida em um mundo quase inesperado que era o mundo de Gaiarsa, o único onde me cabia estar naquele momento, com meu pouco preparo e estranheza. Como são todos os começos no caso de um campo, e não só de uma vida em particular. Mas eu não tinha isso claro, evidentemente.

Nunca senti como sustentável o contato com o paciente dessas práticas corporais usando os recursos de conversa que experimentara nos ambientes ingleses originários de grupos, exercícios ou sessões individuais. Parece que "lá" se conversava do mundo deles, claro. A diferença cultural era radical, portanto os corpos eram outros – sua lógica, suas conversas, suas referências e seus devires, também.

Naquele momento brasileiro subjetivamente esvaziado pela ditadura, mais do que nunca até então, a imitação, característica da nossa história de colonizados, exercia uma força enorme no corpo das pessoas. Talvez minha imagem quase bizarra – com vestidões *hippies*, sandálias Birkenstock, cabelo cortado em cuia, num despojamento absoluto – oferecesse uma informação necessária aos corpos: estamos no zero, fomos devastados, vamos recomeçar. Antes de organizar uma fala, já estava ali um corpo com sua clara mensagem.

A experiência psicanalítica que iniciei logo em seguida me permitiu praticar, através das décadas, o dizer. Deitada repetidamente, atravessando o mal-estar, o medo, a culpa, o empobrecimento de si, a vergonha de dizer-se, simplesmente eu ensaiava dizer. Esse era o crivo pelo qual fui lutando por uma fala própria.

Sempre soube que atrás de mim estava um corpo e que deitada no divã estava outro. Mas o corpo que fala tive de encontrar em outro lugar.

Entre a vivência no mundo do Gaiarsa, anterior à minha reencarnação em Londres, no início dos anos 1970, até o início dos anos 1990, quando, depois de encontrar a anatomia emocional, fui em busca de Keleman, percorri muitos modos de me propiciar identificação com meu corpo e às pessoas com seus corpos, fosse na clínica individual, nos grupos ou nos anos de ensino no Ágora.

A conversa ocupava um lugar um pouco à parte, em algumas ocasiões meio normativo, em que eu me sentia às vezes muito poderosa, às vezes idealizada por mim mesma, às vezes um pouco disciplinada demais, muitas vezes com medo de me descaracterizar do meu lugar de quem estava ali para ajudar a ser um corpo com uma história em andamento e de acabar sendo abusada.

Compreender pessoas em seus mundos, fazendo uma vida com aquele corpo que estava ali naquele presente comigo, naquele ponto de sua trajetória de vida, e seguir problematizando sua continuidade numa relação contínua comigo, ativando a formação de recursos pessoais, não era uma empreitada simples.

Sempre soube que esses recursos estavam ligados à compreensão dos modos de funcionamento oriundos de sua história de vida em ambientes familiares e sociais, instalados corporalmente como comportamentos e modos de sentir e pensar. Sabia isso desde a infância, na minha casa, onde os modos de funcionar, sobriamente paulistas e expansivamente baianos, se digladiavam nas figuras da minha mãe e da minha avó paterna. Mas há uma grande distância entre perceber as coisas e sustentar uma presença coerente com essa certeza.

As famílias da numericamente pequena classe média brasileira criam filhos extremamente dependentes em seu ideal de classe. Essa era e é a nossa grande diferença em relação aos filhos da imensa classe média americana de quem nos cabia aprender a ser corpo no mundo que se americanizava globalmente.

Nosso país se divide em uma imensa ralé descendente de escravos, uma pequena elite financeira e uma classe média que corresponde a não mais de 20% da população.

O corpo adulto, responsável por si, enraizando-se em seu chão, primeiro paradigma das psicoterapias corporais em cuja fonte bebemos, era muito difícil para nós classe média. Antes de embarcar na firmeza dessas afirmações de uma ética americana, conviria examinar nossa história católica, colonial e escravagista como uma certa classe média que ama o privilégio, teme escorregar para a ralé e é prisioneira desse modo dependente e inflado de funcionar. Esse modo mesmo é que nos faz chegar ao mundo dos regentes do planeta, buscando nos apropriarmos de seus modos despojados, naturais e superiores de existir, de corpos jamais colonizados, e trazê-los para dentro dos nossos ideais de classe.

Os mais de 30 anos de divã me permitiram elaborar um caminho da dependência à autonomia, passo a passo, compreendendo as tentativas de me eximir da tarefa de amadurecer minha capacidade vincular, na minha relação com aquela criatura sentada atrás de mim, buscando sempre suportar um modo de me dizer e, às vezes, conseguindo me responsabilizar por isso. A largueza dos anos analíticos ajudou-me a aprender a vacilar, gaguejar, ser ambivalente, repetir mil vezes, suspirar, silenciar, gerar minhas narrativas, me identificar com elas e me interessar genuinamente, no meu trabalho, pelas narrativas alheias. Sem a conversa, nada acontece.

Mas há um corpo que capta o mundo, que o absorve, que se faz com elementos dele e se expressa gerando seus ambientes junto com outros corpos e forças, humanos e não humanos. Isso, embora eu tivesse intuído já nos tempos lisérgicos e, depois do zen-budismo, nos primórdios da transformação pessoal que acompanhou o alastramento do capitalismo sem fronteiras, só foi possível efetivamente encarnar quando redescobri o mundo de Keleman e passei a frequentá-lo e cultivá-lo de diferentes maneiras.

Seu conceito de corpo evolutivo e adaptativo, e todas as categorizações que o pensamento formativo cria nessa dimensão, servem-nos profundamente, pela absoluta necessidade de produzir a diferença que a continuidade da vida exige. Porém, seu modo de conceber ambiente(s) e poder requer bem mais trabalho e compreensão política para que possa ser utilizado em nossa realidade brasileira ainda colonial.

11 Quando retornei a Berkeley com *Anatomia emocional* nas mãos

Quando retornei a Berkeley, dessa vez em 1992, 15 anos depois do primeiro *workshop* em 1977, eu já era uma profissional conhecida no campo das psicoterapias corporais no Brasil. Acabara de cuidar da supervisão técnica da tradução do livro central de Keleman, *Anatomia emocional*, que eu apresentara à Summus Editorial, o que gerara grande entusiasmo e fôlego no entorno corporalista. Na apresentação que escrevi a esse livro, primeira das outras oito traduções que se seguiram, apresento Keleman ao Brasil. O Keleman da anatomia emocional, criador de um conceito totalmente ecológico e visual, prosseguiu impactando, gerando reedições ao longo das décadas seguintes e atraindo leitores para seus outros livros e interesse na originalidade do seu trabalho.

Durante o processo de tradução que acompanhei e dirigi, eu já havia estabelecido uma correspondência, no tempo em que se escreviam cartas à mão, com ele e Marilyn Heller, gerente geral do Center for Energetic Studies.

Ir ao encontro dele com um exemplar da tradução em mãos me fazia sentir iniciando um vínculo que seguiria pelo restante da minha vida. Era como se eu e meu mundo fôssemos um óvulo que se implantava na parede de um útero. Dali para a frente, um processo embriogenético prosseguiria através dos anos, com seus pulsos e ritmos formativos, ao longo de uma vida, como de fato aconteceu.

Passar, gradativamente, a aprender a viver me alinhando com as forças formativas da vida neste planeta, gerando um corpo em particular com os ambientes e acontecimentos vividos, é de uma potência ímpar.

Aproximar-se do mundo de Keleman era contaminar-se desse sentido da vida se fazendo continuamente neste lugar vivo que somos, passar a conceber-se como um canal da vida nas redes de corpos que a vida gera para prosseguir. Isso é simultaneamente de total grandeza e de profunda simplicidade.

Nesse momento, tive dois sonhos.

No primeiro, perco uma criança na multidão, o que me gera enorme angústia. Quanto mais procuro, mais ela desaparece no movimento contínuo e intenso daquele emaranhado de gente.

Trabalhei esse sonho no primeiro *workshop* de que participei, em junho de 1992. Narrei o sonho e Keleman me fez reproduzir e repetir várias vezes o gesto desesperado que se acompanhava da frase "*Have you seen my child?*" Eu me debatia com os braços. Estava focalizado aí o medo-pânico da transformação que se operava em mim. A multidão era como um movimento molecular intenso, uma fragmentação, uma mistura, uma dispersão acelerada.

No dia seguinte, sonhei com uma única cena: Kazuo Ohno – que eu admirava, amava e seguia desde as suas primeiras apresentações de butô no Brasil – aparecia deitado em posição fetal em um tanque cheio de barro úmido.

Estava concebida aquela que eu formaria na segunda parte da minha vida: a *performer* da presença anatômica, a terapeuta que levaria para as narrativas da clínica a frágil poética da existência se fazendo.

O sonho mostra claramente que um corpo precisa ser preparado para viver formativamente esse processo de metabolização de mundo e espacialização conectiva. Aprendi com Keleman e elaborei no meu cotidiano da clínica, da pesquisa e do ensino que essa prática formativa das vidas e a produção de suas cartografias é contínua, tem ritmos, gera camadas e diferenciações. Sobretudo, passou a me acompanhar em cada gesto o sentimento de que somos uma continuidade do processo biológico do planeta e carregamos no DNA o mandato de levá-lo adiante e a termo, nesse corpo em particular. E cabe a cada um aprender a manejar esse dom evolutivo. A aprendizagem certamente é vincular. Aí reside o problema.

12 Formar uma vida no mercado

Quando comecei, no início dos anos 1990, a estudar, lidar com a tradução dos livros de Keleman e, logo em seguida, frequentar seus seminários em Berkeley, senti de imediato a necessidade de compreender as raízes evolutivas de sua concepção formativa do corpo absolutamente única.

Rogério Sawaya já era, naquela ocasião, um obstetra experimentado, introdutor no Brasil do método Leboyer de parto, filho de um grande biólogo brasileiro. Assim, desde cedo, Rogério formou uma grande intimidade com a vida e seus processos e, mais tarde, com as pesadas leituras científicas – as quais para mim, sozinha, seriam inacessíveis.

Por uma feliz coincidência, quando nos encontramos pela primeira vez, ele estava à procura de um sentido mais profundo para seu interesse no estudo do corpo, que estivesse além do olhar médico. A amplitude e a profundidade do olhar de Keleman sobre a vida do corpo ao qual o introduzi tiveram um efeito desconcertante sobre ele. Esse foi o começo de uma troca real e produtiva, que se manteve viva e em movimento por bastante tempo.

Eu vinha de um processo de formação, amadurecimento e diferenciação de um campo de clínica, estudo e ensino que se iniciara em 1976 com a fundação do curso de Abordagem Corporal do Instituto Sedes Sapientiæ, com Anna Veronica Mautner e outros colegas dos primórdios do corpo em São Paulo, e seguiria até o final dos anos 1980, no Ágora Centro de Estudos Neorreichianos, com Liane Zink. A seguir, para acolher as diferenças teóricas e pragmáticas que foram se evidenciando em relação ao campo neorreichiano, comecei a arar o terreno para o cultivo dessa hibridação entre ideias ecosóficas e ideias formativas, organizando, finalmente, em 1997, com Ana Lucia Rocha, o Centro de Educação Somática Existencial. Nos anos que se seguiram, dei continuidade à tradução dos livros de Keleman e, junto com Leila Cohn, do Centro de Psicologia Formativa do Rio de Janeiro, promovemos mais confortavelmente outras vindas dele para o Brasil. A presença do pensamento formativo começou a fazer sentido num campo em que a versão corporal de uma psicanálise do ego dominava.

Mas aquela inimaginável manhã de 11 de setembro de 2001 mudou muita coisa.

Keleman manteve o compromisso de vir a seu último seminário no Brasil, ocorrido em novembro. Lembro-me do medo de entrar nos Estados Unidos no ano seguinte, sentindo-me olhada com desconfiança pela cor da pele, que poderia passar pela de uma *middle eastern*. Senti também um estranhamento por aquele país, que agora me parecia assustado nas ruas. Uma distância havia se estabelecido. Keleman parecia se sentir desagradado com meu temor e desconfiança. E eu me perguntava, com mais insistência, como ele podia não considerar em seu pensamento o jogo de forças político, ambiente em que se formavam os corpos. Talvez as famílias brancas de Primeiro

Mundo que ele considerara em suas cartografias clínicas como o ambiente formativo da vida fossem suficientes para que aqueles corpos se estudassem, mas não para nós, classe média brasileira, que lutávamos e lutamos para manter as bordas desse pequeno mundo onde sabemos viver, sem muitas variações, na instabilidade deste Brasil colonial, racista, dividido entre ralé e elite, onde os corpos estão sempre expostos ao terrível jogo de inclusão-exclusão. É muito evidente, sobretudo para corpos habitantes de realidades instáveis com estruturas precárias como a nossa no Brasil, que formamos corpos e vidas no mundo e que o mundo é político e social, mas que isso, longe de ser uma operação direta e simples como o crescimento e os afetos, exige uma compreensão dos modos como um corpo forma e se forma nas diferentes ecologias, políticas e sociais, com as forças biológicas da evolução.

Mas isso tudo se passava em 2002, quando já se armava um *ending*, no dizer de Keleman em *Realidade somática*. Um fim começava a se formar como uma nuvem de tempestade naquele sonho americano que eu nutrira por mais de dez anos.

Mas voltemos à década de 1990, tempos de um belo *beginning*, quando, após meses de correspondência pessoal com Keleman sobre suas ideias, me dispus a pisar em terras californianas novamente, munida da tradução brasileira de *Anatomia emocional*.

Sonhei, à altura das primeiras conversas com Rogério Sawaya, decifrador dos mistérios da ciência, que eu passava diante de um *shopping* perto da minha casa. De repente, eu já me encontrava em um andar inteiro vazio desse *shopping*. O chão estava coberto de vasilhas cheias de leite, nas quais centenas de cachorrinhos recém-nascidos se alimentavam. Eu corria entre eles, cuidando para que não se afogassem no leite.

Nesses primeiros tempos, desbravamos em São Paulo o pensamento formativo estranho ao pensamento brasileiro – como escrevi na apresentação de *Corporificando a experiência* – entre *workshops* no Centro de Educação Somática Existencial, minhas idas a Berkeley, as vindas de Keleman, as traduções e os lançamentos dos livros. Keleman nos apoiava e incentivava. Ao contrário dos outros pioneiros da educação e psicoterapia corporal que transformaram seu pensamento, nessa década, em conceitos e métodos formatados como treinamentos caros e controlados, ele sempre se manteve um autor totalmente autônomo, criador, filósofo, *self-publisher*, terapeuta, artista e educador respeitado por uma comunidade de pessoas de muitos países na Europa, influenciadas por seu trabalho formativo. O que ele desejava, e sempre afirmou isto, era influenciar a vida das pessoas com suas ideias e sua prática.

Mas, apesar dessa enorme diferença, eu diria que precisávamos de mais liberdade ainda nessa relação para estudar nosso processo formativo nas condições coloniais que regem a subjetividade brasileira. Naveguei sempre nessa dificuldade ao longo desse percurso, como uma espécie de kelemaniana selvagem, pesquisadora da aplicabilidade do seu pensamento. Mas o processo de escrita deste livro, entremeado de sonhos e associações, permitiu-me um desfecho surpreendente do conflito. Vejamos.

O Centro de Psicologia Formativa do Rio de Janeiro, sob a direção de Leila Cohn, psicóloga e mestre, educada e formada por Keleman desde seus verdes anos de juventude na Califórnia, tem outra legitimidade, bastante diferente da legitimidade dos transmissores com diferentes títulos e graduações das diferentes grandes escolas. Leila é uma extensão do Center for Energetic Studies no Brasil, estes tristes trópicos, a mais zelosa e fiel transmissora de Keleman entre todos os kelemanianos – inclusive os do Primeiro Mundo, como pude observar no número especial da revista eletrônica da European Association for Body Psychotherapy em homenagem a Keleman na ocasião de sua morte, em 2018.

A partir da tradução de *Anatomia emocional* e de seu estudo, iniciou-se um tempo de ensaios e semeaduras de modos de prosseguir no mercado do estudo e da educação do corpo. O que funciona vinga, na evolução e no processo formativo de corpos e ambientes. Nosso grupo que estudava e praticava um certo Keleman para o Terceiro Mundo experimentou isso nas altas ondas do mercado no qual sobrevivíamos com esse trabalho ainda por firmar sua consistência sob o olhar benigno de Keleman.

Em 2001, após o sinistro 11 de Setembro, dissolveu-se o Centro de Educação Somática Existencial e selecionou-se outra formatação para mim, finalmente solo: o Laboratório do Processo Formativo, que permanece viçoso e resiliente até hoje neste Brasil em meio às vicissitudes que se seguiram, inclusive à ruptura com o mundo kelemaniano, na ocasião do festejo de seus 75 anos, em 2006. A denominação "Laboratório" apontava para uma liberdade de pesquisa que eu desejava experimentar no meu próprio espaço e país. Mas alguns anos de conflito com Keleman – essa figura patriarcal e altamente generativa que inspirava admiração por sua obra, amor por sua presença na vida das pessoas, gratidão por sua generosidade e um justificado temor, como confirmei, após tantos anos, na leitura de comunicados dos kelemanianos do Primeiro Mundo na mencionada revista em sua homenagem – foram necessários para que se efetuasse essa distinção e a produção de uma membrana própria. Mas o que antecipo aqui é o fim de um certo tempo, um *ending*.

Ao todo, produzi dez seminários de anatomia emocional, com duração de quatro semestres cada um, em grupos que se sobrepunham.

Essa atividade, com esse formato, durou de 2000 a 2010. Ensina-se o que se quer aprender, como diz Deleuze. Tais seminários, com experimentações sobre as imagens do livro *Anatomia emocional* fotocopiadas em transparências e projetadas, pela bela luz incandescente de um retroprojetor, num telão na sala de grupos em meu consultório, eram gravados em vídeo. Essas leituras naturalmente se desdobravam em conversas corporificadas (*somatic conversations*, a bela solução encontrada por Keleman para explicar o encontro de corpos falantes), ampliação e aprofundamento dessa visão evolutiva, filogenética e ontogenética, que prosseguia ali mesmo com os corpos presentes, surpreendendo os participantes com a súbita revelação da experiência imediata trazida pela verdade somática, outra belíssima expressão cunhada por Keleman.

As videogravações, revisitadas na tela da TV, permitiam-nos ver nosso corpo como anatomia emocional pensando, falando, se apresentando, grupalizando dos mais diversos modos e estilos que nos coube desenvolver existencialmente. Aprendi a captar com Keleman os micromovimentos do corpo sobre si que fazem o ajuste da forma ao acontecimento em curso. A lógica da presença reside nessa diferença.

A experimentação com o potencial das imagens desse livro, simultaneamente vivenciadas e estudadas, em seguida contempladas e corporificadas, constituíram o embrião da instalação didática que desenvolvi como um conceito de trabalho descolonizador, sobretudo na década seguinte, no que denominei de Seminários de Biodiversidade Subjetiva. Neles experimentávamos a capacidade adaptativa dos corpos aos diferentes ambientes físicos, afetivos e incorporais – no dizer de Guattari –, expandindo o olhar para além dos ambientes familiares.

Naquele *shopping* de bairro de um sonho de 1992, nascia para mim uma nova forma adaptativa ao mercado a ser nutrida, um *new beginning*. Em 1998, foram encerradas as atividades do Ágora e a parceria Regina Favre-Liane Zink. O mercado passara a ser essa nova ecologia dentro da qual todas as outras ecologias se articulavam, apontando para um funcionamento de homogeneização e captura do desejo das vidas e suas formatações.

Naquele momento, não mais um capitalismo industrial que reprimia a sexualidade na família, na escola e na fábrica, capturando sua energia para o lucro, como problematizado por Wilhelm Reich em sua luta e obra, mas uma nova forma de capitalismo, surgida com a mundialização do capital, como aprendi a enxergar com Guattari. Esse capitalismo de mercado nos queria consumidores de bens, valores e estilos de vida e, para tanto, se apropriava do nosso desejo. Isso exercia um efeito diferente sobre os sujeitos, não mais os reprimindo, mas estimulando e moldando neles o desejo, portanto a vida, sob a tremenda ameaça da exclusão.

Teorias e práticas liberadoras da repressão da expressão de si, sobretudo sexual, já podiam ser substituídas por uma compreensão mais abrangente de como se produz diferença, como se dá forma ao singular que emerge e, portanto, como se praticam micropolíticas. A sensibilidade para o imanente, para o que ainda não existe e pulsa por vir a ser, pede um novo conceito de corpo. Essas respostas do corpo eram preciosas para ser selecionadas, preservadas e cultivadas dentro desse capitalismo homogeneizante do desejo dos corpos. O valor de ser minoritário ganhava força. O reichismo perdia seu brilho para mim, enquanto o conceito formativo dos corpos e seus mundos emergia como uma ferramenta necessária, mesmo imprescindível, para esses novos tempos. O mercado agora era claramente global, e sua força, pressionando por reprodução sob a ameaça de exclusão, empobrecia a biodiversidade das vidas e dos mundos.

Mas, ao mesmo tempo, um pensamento ecológico nos contaminava com um sentimento maior, gerando um romance histórico-mundial em lugar do romance familiar freudiano. Um novo modo de sobrevivência despontava com essa nova subjetividade que se espalhava no mundo, agora inteiramente capitalístico após o longo período de colonização das ditaduras latino-americanas.

Todas as modelagens subjetivas implicam modos e comos, aprofundamento da singularidade. Algo recém-nascido se apresentava com essa perspectiva de estudar um Keleman para esse Brasil que parecia desabrochar democraticamente.

Eu sentia, com a alma cheia de energia, que poderia ter meu andar no mercado, essa entidade que agora regia as relações do planeta. Eu ofereceria trabalho, cuidado, leite intelectual e emocional organizado em torno do conceito de processo formativo, precioso para esses tempos globais de homogeneização do desejo e de comportamentos que já iam se instalando. Cultivaria filhotes, ajudada e apoiada por esse médico entusiasmado por compartilhar conosco suas competências de estudo em um ambiente onde se estudava o corpo de um modo filosófico, biológico e vincular. Sentia-me fazendo uma boa parceria profissional, que me apontava um futuro promissor. Assim sonhava eu.

Mas a dependência e a insegurança femininas, ainda muito ativas na subjetividade brasileira, teriam de esperar por muitos impactos, embates e ajudas analíticas para que amadurecessem lentamente em direção à autonomia.

Naquele momento, o campo corporalista, que resisto em chamar, redutoramente, de campo das psicoterapias corporais, estava deixando de ser apenas uma cultura, uma experiência de transmissão de uma filosofia prática consonante com a contracultura brasileira, para se transformar num bom negócio de treinamento profissional com bases nos métodos e conceitos de escolas do Primeiro Mundo que se formatavam e se instituíam de modo corporativo.

A alegria da invenção era capturada pelo mercado, afastando-se mais e mais do modo vivo, vivido e em movimento – para não antecipar a expressão "rizomático" – das primeiras décadas. Sinto-me muito ambivalente em relação a essa nova formatação mercadológica. Como sobreviver fora dela? Como reconhecer o valor do singular? Como produzir sem chancela?

13 Muitas ambivalências

Eu desejava prosseguir no caminho brasileiro do corpo que emergira nos anos 1960 com a Tropicália de Caetano e Gil, com Hélio Oiticica, Zé Celso, Lygia Clark, o cinema marginal e toda a riqueza cultural censurada, exilada e atravessada pelos anos da ditadura militar. Eu me sentia portadora de uma estrela de sobrevivente na testa e desejava marcar uma diferença política em relação a outros colegas da geração corporalista, companheiros dos primórdios do curso de Abordagem Corporal do Instituto Sedes Sapientiæ e, a seguir, do Ágora Centro de Estudos Neorreichianos, sustentando um lugar de criação local de métodos e visões sobre o corpo. Eu me sentia fiel à Tropicália, que me havia aberto as portas para a desconstrução da vida sufocante de classe média "dessas pessoas na sala de jantar".

Mas ao mesmo tempo queria, conflitivamente, aprender na fonte internacional com o criador de um pensamento sobre a vida do corpo que, em vez de lidar com a repressão sexual, lidava com o futuro e a produção da diferença como um modo preciso de adaptação ao presente, coisa que consegui nomear bem mais tarde. Queria, também de modo ambivalente, marcar um lugar no mercado com um autor americano. Essa era uma estratégia necessária para dar identidade a um trabalho com o corpo subjetivo no ambiente brasileiro que se desenvolvia. Era assim ainda. E eu sentia fortemente que esse era o autor que nos cabia naquele momento em que o Brasil, livre da ditadura, estava pronto para gerar modos de vida menos colonizados. O Plano Real, equiparando nossa moeda ao dólar, liberou essa aventura rumo à matriz produtora da subjetividade, agora mundial.

A escolha de Keleman em não treinar pessoas em seu método do modo como os autores internacionais e seus *trainers* passaram a fazer no campo do corpo me agradava muito. Ele se identificava como educador, fosse no contato terapêutico individual ou em grandes grupos, mais precisamente influenciando pessoas para viver, pensar e trabalhar formativamente, isto é, organizando corpos e vidas em sua relação com o presente em curso. Isso me servia. Profundamente.

Muitas filosofias práticas se configuraram a partir dos anos 1960, sobretudo nos Estados Unidos, mas a densidade de Keleman era incomparável em seu paradigma evolucionista que se aplicava à continuidade das vidas em particular com tal nitidez. Bem mais tarde ele registrou o nome Psicologia Formativa. Mas, a essa altura, eu já estava em outra posição em relação a ele. Para mim a clínica, embora basicamente constituísse o meu ganha-pão, sempre foi uma extensão da filosofia, de uma filosofia prática, vincular.

14 Félix e Stanley

O Keleman dos breves encontros dos anos 1970 voltou a ressoar quando entrei em contato com a Filosofia da Diferença. Esse estilo de pensar e se comportar no mundo começava a se expandir a partir do Núcleo de Estudos da Subjetividade da PUC-SP, criado por Suely Rolnik e Peter Pál Pelbart com o apoio entusiástico de Félix Guattari.

O encontro com Suely Rolnik – chegada de um longo exílio na França –, propiciado por Regina Chnaiderman e seu grupo de psicanalistas argentinos do Instituto Sedes Sapientiæ, em 1979, trouxe-me de volta para algo em francês. Esse algo me lembrava autores como Sartre, Beauvoir e Camus – que me libertaram da pequenez da vida burguesa de Santos aos 20 anos, onde me sentia estrangeira. Ecoavam de volta meus anos de casamento em francês, minha graduação em Filosofia na PUC de São Paulo em que predominavam leituras em francês, os filmes de Godard que mudaram minha vida, meu estilo classe média intelectual antes de ser abduzida pelo mundo anglo-saxão do corpo. As bruscas rupturas de identidade, esses saltos de sobrevivência darwinista, deixam marcas de fragilidade que, se por um lado nos protegem pouco, por outro nos fazem receptivos aos ambientes e às intuições.

É curioso, na falta de palavra melhor, como as conexões subterrâneas se fazem, e talvez só possam ser acessadas por sonhos ou estranhas rememorações. Depois de muitos anos de convívio com Suely, foi emergindo uma recordação de quando meu casamento já se esgarçava sob a pressão das mudanças extremas trazidas pela repressão insuportável da ditadura militar. Na cena, estamos meu marido e eu na casa de Mário Gruber, que vivia com minha amiga diária daqueles anos, Cecília Helena Décourt. Mário atraía naqueles anos para o ambiente de seu ateliê da rua Joazeiro um constante fluxo de artistas e militantes. Artista e militante experiente, ex-combatente do Partido Comunista, assumia o lugar de formador de uma atitude política e cultural enquanto pintava. Eu diria que ali realmente me politizei. Conheci inúmeros artistas que fizeram a resistência aos anos de chumbo, da arte pop ao neoconcretismo. Foram muitos anos. Nesse dia de 1969, vimos espantados, na primeira página do jornal, não sei se *Folha* ou *Estado*, a foto de uma moça de rosto inocente e olhar destemido que fora presa na queda de um aparelho, como eram chamadas as casas onde se abrigavam e reuniam ativistas clandestinos. A figura parecia uma personagem de um filme de Godard, uma Anna Karina. Aquela imagem, sinto hoje, foi quase a última gota d'agua a fazer transbordar minha vida e misturá-la à onda maior que se levantava e me levaria para bem longe do meu pequeno mundo familiar aparentemente seguro. No ano seguinte, o encontro com Anna Veronica Mautner no ambiente de Gaiarsa foi a última gota.

Hoje, tenho certeza de que os melhores analistas ou terapeutas se fazem a partir do tratamento da própria angústia, a qual está ligada a mudanças e desterritorialização. Mas nem sempre senti assim. O que se estuda amplia posteriormente a compreensão do que se tratou na clínica do sujeito. Mas só o tratamento permite compreender e suportar a insegurança e o risco da verdade sobre si e sobre a vida. A psicanálise chama esses limites de castração, ou seja, aponta, no dia a dia do tratamento, as limitações da nossa crença na onipotência, expondo-nos à vulnerabilidade humana. Expandir-se para o corpo a corpo da clínica muitas vezes é uma exigência do próprio trabalho de compreensão do funcionamento de si no mundo, propiciado pelo trabalho consigo. Não é o estudo em modo acadêmico que autoriza o exercício do que se chama clínica do sujeito, seja esse sujeito corporal ou psíquico, mas o estudo vivenciado de si, ampliado por autores, sempre guiado por um outro mais amadurecido e experiente. Em meio às minhas angústias mais mortais de ilegitimidade no divã da dona Regina, sempre ouvi de sua bela voz grave e suspirante: "O analista se autoriza".

Quando conversei com Guattari sobre o corpo, no início dos anos 1980, em uma de suas primeiras vindas ao Brasil, ele manifestou seu desagrado – se não desprezo – pelas práticas californianas ou neorreichianas do corpo em direção ao desenvolvimento pessoal e ao individualismo, assinalando, certeiro, a despolitizacão dessa visão. Fiquei sem chão, sentindo minha inconsistência diante de sua afirmação radical. Compreender o corpo como uma produção social, a subjetividade como um grande fora em contínua produção, o sujeito como uma invaginação dessa produção coletiva e o coletivo como um tecido de ecologias foi um trabalho assimilativo que me exigiu décadas.

Vi imediatamente que a interpretação corporal da psicanálise elaborada por Reich e pela bioenergética, sua versão americana dos anos 1950 tardios, era pouco para meu sentimento de ser parte de algo maior que o individual e o familiar, mas que eu deveria ainda me aplicar muito para formatar alguma coisa relativa ao corpo que desse conta do problema.

Os muitos anos como analisanda que se seguiram correram em paralelo com o desenvolvimento da compreensão de como um corpo se torna alguém, ou "*how a body becomes somebody*", como ouvi Keleman formular anos depois.

Quando Guattari publicou *As três ecologias*, em 1990, criando o campo da ecosofia, senti que ali havia uma passagem que poderia se comunicar com uma visão de corpo como produção, tal como desenvolvia Keleman em *Anatomia emocional* – cuja tradução eu acabava de apresentar aos praticantes e estudiosos do corpo, educadores e terapeutas, dando início a uma série de traduções de seus livros. Keleman e Guattari ressoavam entre si para mim, e suas ideias ecológicas ressoavam, por sua vez, com as de Gregory Bateson. Concebiam a vida como uma produção contínua e uma proliferação em que todos os processos se interligavam.

Keleman, oriundo do movimento da psicologia humanística, focalizava a atenção no desenvolvimento de uma vida em particular, voltada para o refinamento do autogoverno em uma existência privada, apesar de considerar os corpos e a vida parte e continuidade do processo evolutivo neste planeta. Já Guattari, em seu contínuo ativismo, surfava as ondas do coletivo, apontando para os devires dos corpos e seus mundos e assinalando que, na vida em particular, cabia decifrar as cartografias do poder capitalístico que regem a formação da subjetividade social, ativando sempre, por meio de diferentes práticas, nossa potência de conexão e diferenciação.

> Uma ecosofia de um tipo novo, ao mesmo tempo prática e especulativa, ético-política e estética, deve a meu ver substituir as antigas formas de engajamento religioso, político, associativo... Ela não será nem uma disciplina de recolhimento na interioridade, nem uma simples renovação das antigas formas de militantismo. Tratar-se-á antes de movimento de múltiplas faces dando lugar a instâncias e dispositivos ao mesmo tempo analíticos e produtores de subjetividade. (Guattari, 1990, p. 54)

Tratava-se, então, de produzir diferença na subjetividade como algo individual, por um fino trabalho pessoal, ou intervir nos modos coletivos de subjetivação ativando no campo social a arte, a linguagem, os modos grupais de apropriação da comunicação, os encontros, as iniciativas coletivas, as micropolíticas. O zelo americano pelo individual em Keleman e a dissolução à la Maio de 68 do individual nas práticas coletivas ativadas por Guattari apontavam para direções aparentemente opostas e inconciliáveis.

Esse foi o conflito político crescente que atritou esses dois modos de ver o processo, o formativo e o ecosófico, embora ambos trouxessem um sentimento de imanência, de devir, de mundo por se fazer, uma realidade apenas pulsante, um plasma que desliza pronto a coagular uma forma, entre um modo de esquerda e outro de direita, poderíamos dizer. Deleuze, com sua candura, distingue muito bem esses dois modos de funcionar, em seu conhecido *Abecedário*. A direita vê o mundo a partir do individual separado do social, e a esquerda vê o mundo a partir do social que abriga e forma o individual.

A verdade de uma ciência holística como a que se formou na abundância cultural dos finais dos anos 1950 nos Estados Unidos não basta. No caso, talvez bastasse para países estáveis e autocentrados como os vencedores da Segunda Guerra. Mas não para o nosso país periférico, regido pela terrível dualidade elite-ralé em que nós, classe média, uma pequena parcela da população brasileira, somos leitores, aprendizes e escritores dessa cultura do subjetivo e do corpo. Não podemos conviver tranquilamente com o privilégio sem identificá-lo na constituição da nossa subjetividade, assimilando impunemente práticas e cartografias de uma cultura dominante.

Keleman progressivamente foi desenvolvendo a prática dos corpos para o indivíduo, para a família e a comunidade, enquanto eu me voltava cada vez mais para a necessidade de compreender nossa vida na classe média brasileira e suas relações próximas com a escravidão e a colonização nos nossos modos de funcionamento instalados somaticamente. Sofria com esse sentimento de traição aos meus. Com a ideia de ecologias, pude levar bastante adiante meu trabalho com a experiência da Instalação Didática após os tempos Keleman.

15 Como nos aproximarmos das raízes evolutivas do pensamento formativo

Esta é uma conversa ocorrida em 2002 entre mim e Rogério Sawaya. São fragmentos de um começo vigoroso, de um tempo em que o Laboratório do Processo Formativo, recém-fundado, ainda seguia em franco contato com Keleman. O registro audiovisual de um seminário específico, extraordinariamente certeiro, entre os inúmeros seminários que organizei e produzi sobre o livro *Anatomia emocional* – que líamos, experimentávamos, aprofundávamos e ampliávamos com grupos –, foi editado e organizado na época por nós na forma deste diálogo, celebrando o momento luminoso em que conseguimos abarcar pela primeira vez a compreensão das origens evolutivas da formulação kelemaniana do processo corporificante.

Regina Ao ler, compreender e trazer para nossa vida a anatomia emocional, construímos profundamente um sentimento de sermos parte de um processo maior, de não sermos indivíduos isolados, algo "em si mesmo". Esse estudo nos possibilita, também, sentir que compartilhamos de um pulso universal, presente desde o *big bang*, ocorrido há cerca de 15 bilhões de anos. Os *inputs* trazidos por Rogério para nosso estudo contribuem, gradualmente, para estimular e alargar nossa possibilidade de autorreconhecimento como anatomias evolutivas e, consequentemente, aprofundar nossas possibilidades de automanejo.

Rogério No final do processo de seleção pré-vital no planeta, a vida apareceu. E, quando surgiu, a vida fez "recortes no ambiente", particularizando um ambiente interno, pequenos oceanos individualizados. Nessa ocasião, a vida criou a membrana celular. Em cada célula que apareceu desde então, há mais de 3 bilhões de anos – seja ela uma célula primitiva, como uma bactéria, ou uma célula moderna, como as que constituem nosso corpo –, é sempre uma membrana que garante sua individualidade. Esse foi o modelo que vingou. Desde sempre os corpos são feitos de superfície e profundidade, membrana e um interior que processa o meio. Esse é o modelo que Keleman desenvolve para compreender a vida do corpo. Pela presença dessa membrana, a célula protegeu-se de moléculas do ambiente desde o início da competição. O centro celular contém os ácidos nucléicos – RNA e DNA –, que, até alguns anos atrás, eram considerados apenas moléculas que continham o código hereditário. Atualmente, há uma compreensão mais ampla: os ácidos nucleicos expressam as características hereditárias codificando a síntese de proteínas estruturais, essenciais para a formatividade celular. Nas células mais primitivas – procarióticas – não existia um núcleo como nas células modernas. O RNA e o DNA delas permaneciam livres e diluídos no citoplasma, tornando-se vulneráveis à ação competidora de moléculas da vizinhança. A célula moderna, eucariótica, inventa um núcleo com membrana dupla – a estação celular central –, no qual se aloja o código hereditário que garante a base da formatação funcional e também que a vida possa se replicar e prosseguir. Outra coisa essencial que a vida criou desde o aparecimento das células são os ribossomos, centenas de milhares de minúsculos órgãos celulares, microindústrias que manufaturam as proteínas do corpo. É nos ribossomos, por exemplo, que células glandulares produzem a insulina do pâncreas. De maneira análoga, eles produzem no sistema imunológico os anticorpos, uma variedade de proteínas que protegem o organismo vivo de invasores.

Essa é uma visão básica e muito simplificada da célula, protótipo de todo organismo vivo, tal como Keleman descreve em *Anatomia emocional*.

A membrana celular é constituída de uma dupla camada de moléculas de gordura especiais. Essa membrana mostra-se extremamente seletiva: não é qualquer substância que é capaz de atravessá-la do interior para o exterior ou vice-versa.

Existem microcanais proteicos que atravessam a membrana e alcançam o interior da célula, capazes de selecionar o que entra ou não em seu ambiente interior. Esses microcanais abrem-se ou se fecham conforme as necessidades vitais das células.

A célula pulsa, expandindo e contraindo, concentradamente dentro de sua membrana elástica, tal como todos os organismos vivos em toda a escala evolutiva até nós.

Esse é o paradigma kelemaniano.

Durante o período inicial da evolução, a vida – por meio de infinitas tentativas e com seu elevado poder morfogenético – começou a produzir seres unicelulares, protótipos de sistemas celulares complexos que prosseguiram evoluindo até os seres multicelulares, extremamente elaborados, do nosso nível macro. Até mesmo em alguns unicelulares já se delineava uma boca primitiva para captar partículas nutricionais da vizinhança e um protótipo de tubo digestório. Em outros, cílios na superfície da membrana celular batiam de modo sincronizado para promover o deslocamento no ambiente. Uma pré-figuração de um microssistema neuromotor, portanto, já estava presente.

A vida, dessa maneira, em seu impulso formativo, tentou repetidamente, diversificou-se e atingiu um limite com os seres unicelulares. Para continuar a explorar eficazmente o ecossistema, conectou células-irmãs com células-irmãs, formando colônias, como as esponjas marinhas. Colônias multicelulares tornaram-se mais complexas e aprenderam a fazer uma divisão de trabalho, com a finalidade de captar melhor as reservas energéticas e nutricionais do ambiente. Esse conjunto de fatos vitais foi sempre dirigido pela seleção natural darwiniana, na qual as formas mais aptas prosseguem.

Regina Gostaria de falar a respeito do conceito de *fitness*, ou aptidão, que na compreensão corrente é identificada apenas como a lei do mais forte. *Fitness* não é somente ganhar a competição por espaço e alimento. É também, e principalmente, ter mais capacidade para fazer conexões com os ambientes, sejam estes grandes ou pequenos. Nessa visão, podemos considerar que, naquele momento da evolução, as formas unicelulares que sobreviveram foram aquelas com mais conectividade e capacidade para juntar-se em colônias.

Rogério *Fitness* tem que ser entendido também como uma das características fundamentais para a continuidade e difusão da vida: ser mais complexo, ter uma complexidade biológica crescente não apenas na forma corporal mas também nas estratégias para adaptar-se ao ambiente. É óbvio que um grupo de células que se une e efetua uma divisão de trabalho tem um grau maior de complexidade, favorável à construção de uma sociedade em adaptação.

Regina Em inglês, o verbo *to fit* significa estar na medida certa, como um pé cabe num sapato e vice-versa. É a *fitness* mútua, a conectividade de formas, aquela que se encaixa. Desde o início do impulso vivo, acredito, há o problema de encaixe ou não. Está presente a situação de cooperação, da reunião de forças para produzir algo no e com o ambiente.

Rogério É sempre a interação. Em qualquer nicho ecológico, a interação é fundamental e necessária para formar e manter a organização e complexificação de uma sociedade celular.

Regina Podemos ver isso no caso da molécula de carbono, autosselecionada na natureza como a mais eficaz na produção da química dos compostos orgânicos, exatamente por sua alta capacidade de conexão. A ideia de algo que conecta em cooperação é muito interessante. Conectando em cooperação ou desconectando em competição: essa é a outra face da mesma moeda. Separação ou união, competir ou cooperar, mas sempre relacionado com alimentar mais, produzir mais vida e, portanto, conseguir energia para que os processos vitais celulares prossigam, construir com mais potência as redes vivas.

Rogério Mais vida, mais capacidade para formar, com mais potencial para sobreviver, alimentar-se e reproduzir. Nesse processo surgiu uma evidente vantagem: a vida ganhou condição para explorar áreas dos nichos ecológicos até então inacessíveis a ela.

Regina O investimento da vida prossegue selecionando formas com a capacidade de se autossustentar e de reagir às forças de indiferenciação. Tais forças homogeneizantes do ambiente que agem em direção à redução da complexidade atuam desde os tempos imemoriais da evolução e se chamam entropia. Mas há formas de vida selecionadas que resistem às forças da desorganização no ambiente.

Rogério Isso significa que a vida continua a experimentar e criar diferenciações nesses organismos, favorecendo forças próprias de sustentação contra as tendências homogeneizantes do ambiente. A vida é autoformativa na medida em que enfrenta desafios, mantendo-se num equilíbrio dinâmico. Ao proceder assim, ela garante a singularidade de sua forma no interior do ambiente, que continuamente tenta absorver o ser vivo para o caos primordial.

Regina Aqui temos duas estratégias do vivo. Primeira, manter essa capacidade de autoconstrução a partir de si mesmo e do vivido, alimentando um processo interno. Segunda, a ideia de uma clausura operacional – como diz Francisco Varela, similarmente a Keleman – em que a membrana protege um funcionamento interno totalmente individual, no qual processos autopoiéticos ou autoconstrutivos têm lugar. Há permeabilidade, há passagens, mas tudo muito bem regulado para garantir que esse funcionamento aconteça e mantenha a si mesmo em equilíbrio dinâmico.

Encontramos a ideia de precisão máxima nessa viagem ao interior do micro que você nos está proporcionando. Inicialmente, podemos avaliar a dimensão da força que dispara a si mesma no universo com o evento do *big bang* – essa é a mesma força que vem se diferenciando na expansão do universo e se diferenciou em cada organismo no processo evolutivo da biosfera. A partir desse ponto, percebemos que a vida tem um potencial fantástico para expressar e criar gradualmente aquilo que cabe ou se adapta (*fits*), mais conectividade e mais capacidade para cooperar. O outro aspecto importante é como essa organização precisa está presente nos mínimos detalhes, também sempre em autosseleção, segundo o critério de mais funcionalidade em rede. Essa compreensão pode ser estendida aos corpos, aos diferentes ambientes, à interação entre os corpos e as pessoas. É maravilhoso começar a compreender Keleman dessa ótica. Penso que essa é uma pré-condição para conseguirmos um melhor aproveitamento do livro *Anatomia emocional*, tanto do ponto de vista contemplativo quanto do operacional.

Ao longo das leituras veremos o "aumento de excitação que requer mais forma": formas que se organizam a si próprias para ser capazes de dar suporte a mais interações e operações internas, capazes de percorrer mais etapas a fim de organizar a excitação em formas e ações e, assim, expandir e estabelecer mais conexões.

Em termos de biosfera e ecossistemas, formas mais simples compõem com formas mais complexas. Nem tudo precisa ser complexo. As bactérias, por exemplo, têm se mantido como formas simples por muito tempo, funcionando bem e cooperando com o sistema. Existem outras formas, porém, que seguiram uma linha de complexificação e dispõem de um espectro muito mais amplo de ação e conexão. Nesse caminho evolutivo, as formas mais simples continuam interagindo em diferentes níveis, continuamente, com as mais complexas.

Rogério As bactérias existem há mais de 3 bilhões de anos. Fósseis delas foram encontrados na África e na Austrália. Elas são formas de vida primitivas muito simples capazes de se replicar rapidamente – algumas espécies duplicam sua população em apenas 20 minutos – e apresentam um tipo de organização muito bem-sucedido. Uma grande realização. Poderíamos considerar, talvez, que a vida não teria de ultrapassar o nível procariótico para ocupar completamente os variados ecossistemas da biosfera. No entanto, ela foi forçada a diferenciar-se de maneiras muito mais complexas.

Isso explica a criação de eucariontes, sua associação para construir o corpo macro de plantas e animais multicelulares, cuja última etapa foi o surpreendente desenvolvimento de nosso único neocórtex, que diferenciou o *Homo sapiens* do restante dos animais. Os modelos biológicos de estruturas mais simples, porém extremamente bem-sucedidas, mantêm-se como tal até hoje. A hemoglobina é um bom exemplo: uma molécula orgânica complexa que transporta oxigênio para os diferentes tecidos e foi inventada há muito tempo na escala dos vertebrados. Na medida em que a vida atinge o modelo correto, mantém esse modelo, acrescentando outras estruturas para conquistar novos nichos para exploração, experimentação e produção de vida.

Regina E como a vida consegue garantir um *design* estável para o corpo de cada espécie?

Rogério A fim de transmitir as características hereditárias de cada espécie, a vida criou o elegante modelo químico de apenas quatro bases nitrogenadas que constitui o RNA e o DNA. Essas quatro bases são as letras do imenso alfabeto genômico, com bilhões de componentes – o código hereditário para todos os seres vivos. Esse dispositivo biológico está presente nas bactérias primitivas e manteve-se até a forma mais complexa de vida, o *Homo sapiens*. É o mesmo modelo fundamental que a vida inventou e continua a repetir até a atualidade.

Esse modelo formativo, entretanto, não é suficiente para preencher as exigências concretas da elaboração das estruturas dos organismos. A contribuição do impulso genético inicial na formação dos corpos é limitada. Dezenas de milhares de genes são insuficientes para induzir a formação completa das estruturas anatômicas que compõem um corpo adulto. No caso do *Homo sapiens*, por exemplo, sabemos, a partir do ano 2000, que apenas 30 mil genes são os indutores básicos do desenvolvimento dessas estruturas. Essa contribuição fundamental é claramente insuficiente para que a formatividade dos corpos se complete.

Um processo adicional é responsável pela continuação do impulso formativo inicial dos organismos vivos induzido pelos genes. É o chamado impulso epigenético (etimologicamente, além da genética), em que comunidades de células competem entre si nos diferentes locais em que novas estruturas corporais são criadas. Nessa competição – que obedece às regras da seleção natural de Darwin –, os grupos celulares mais aptos predominam no estabelecimento das novas estruturas anatômicas. Esse processo implica divisão, diferenciação e movimento de células desses agrupamentos, além da morte das células com menos *fitness* para determinada situação formativa. Na formação do sistema nervoso, por exemplo, o processo epigenético atua potentemente descartando até 70% das células envolvidas na laboriosa atividade de esculpir suas estruturas. O termo "topobiologia" foi criado por Gerald Edelman para descrever essa atuação local dos grupos de células, indispensável na formatividade do corpo dos seres multicelulares.

Na embriogênese, os agrupamentos celulares com mais aptidão têm influência, por sua vez, sobre os genes que deram o impulso inicial para a formação das estruturas. Dessa maneira, as estruturas em formação nos diferentes locais do organismo modificam os impulsos iniciais dos próprios genes. Esse processo de estimulação de ida e volta explica, basicamente, a formação das diferentes estruturas envolvidas na constituição do corpo.

Regina Um ponto importante para nós é esse paralelismo seletivo, em nível genético e local, que a topobiologia considera. Isso significa que existe um programa genético inato, mas que as demandas do vivido, esse ir e voltar entre genes e grupos celulares, determinam modificações nas estruturas que estão em formação. Até mesmo programas neurais inatos, por exemplo, são selecionados segundo o uso de si mesmo por si mesmo (*self use*, nos termos de Keleman).

Rogério É o mesmo processo de ida e volta, reciprocamente influenciando o desenvolvimento da ação e da formação estrutural. É semelhante à imagem de Escher da mão que desenha a si própria e, ao mesmo tempo, é desenhada pelo próprio desenho.

Regina Nesse ponto, há uma questão crucial no processo formativo: o vivo solidifica a si mesmo e, ao mesmo tempo, a solidificação do vivo molda as condições do devir do próprio processo.

Rogério A formação do corpo dos seres multicelulares tem certa analogia com a passagem de seres unicelulares, como bactérias e protozoários, na constituição de colônias, comunidades de corpos unicelulares.

Regina É importante dar ênfase à ideia de *pool*, ambiente e cooperação. Acho que o processo evolutivo, do nível unicelular à organização multicelular, estabelece desde o momento inicial um princípio de cooperação, ambientalização e divisão de trabalho.

Rogério Sim, podemos ver esses princípios controlando a atividade celular na formação dos diferentes tecidos, agrupamentos de células que compõem os diversos órgãos que formam as estruturas do corpo macro. A formação dos tecidos ocorre durante o período de embriogênese – em que, a partir de uma única célula mãe, a célula-ovo, 200 variedades diferentes de células competem no estabelecimento quase definitivo dos tecidos que compõem o corpo humano.

Regina A embriogênese é fundamental para essa compreensão da vida nos corpos que somos nós. O processo formativo kelemaniano mostra claramente como uma vida em particular é o prosseguimento do processo embriogenético de cada corpo, como frutos da árvore da vida que seguem amadurecendo até que chega seu dia de se desligar e cair da árvore, cedo ou tarde, voltando à indiferenciação da matéria orgânica que envolve o nosso planeta.

Rogério O corpo do embrião de duas semanas de vida é constituído por apenas duas camadas de tecidos primitivos: o ectoderma, que origina o envoltório externo do corpo, e o endoderma, que vai formar a camada que forra o interior de órgãos internos. Ambos são tecidos primitivos de natureza epitelial, lâminas de células idênticas fortemente ligadas entre si. Em termos evolutivos, são os tecidos embrionários que apareceram mais cedo. As esponjas marinhas, por exemplo, o grupo animal mais antigo na escala filogenética, são formadas apenas por essas duas camadas e seus derivados.

O ectoderma dá origem à epiderme, a camada mais superficial da pele, que provê proteção e contato, e ao tecido nervoso, agrupamento dos bilhões de células nervosas (neurônios) que formam a estrutura essencial de todo o sistema nervoso. O endoderma, por sua vez, origina o epitélio especializado em absorção – encarregado da captação de nutrientes –, que forra o interior de grande parte do longo tubo digestório. Outro derivado do endoderma é o endotélio, camada mais interna de artérias, veias e linfáticos. Os brônquios também são forrados por um epitélio derivado do endoderma (grande parte do aparelho respiratório, especializado na captação do oxigênio, que oxida os nutrientes na produção de energia para as células do organismo, origina-se do aparelho digestório). Durante a embriogênese, células aderem entre si, cooperando para formar lâminas de epitélio (epiderme), lâminas se enrolam para formar tubos (tubo digestório, tubo neural, que dá origem à medula espinhal, brônquios, ureteres) e tubos se dilatam para formar bolsas (estômago, bexiga urinária), como descreve Keleman num olhar inédito e magistral. Ao incluir o pulso vivo – ondas de excitação – nesse extenso continente epitelial, ele nos proporciona uma maravilhosa visão sistêmica. Dessa maneira, na trajetória dinâmica das células para o corpo macro, Keleman, além da nova abordagem, nos liberta da prisão da anatomia descritiva estática e do corpo patologizado da medicina.

A terceira camada embrionária primitiva – o mesoderma – desenvolve-se entre o ectoderma e o endoderma. Dela se originam os diferentes tecidos (cartilaginoso, ósseo, muscular) encarregados de sustentar a forma do corpo, a postura, as ações e a locomoção. Outro derivado do mesoderma é o abundante tecido conjuntivo (antigamente, tecido conectivo), que faz a conexão entre todos os órgãos do corpo e por onde transitam nervos e vasos que comandam e alimentam esses órgãos. O tecido conjuntivo também tem participação fundamental na formatividade do corpo – é o órgão da forma de Francisco Varela –, além de atuar nos movimentos sob a especialização das fáscias e dos tendões.

Regina A conquista do planeta e a criação cooperativa da biosfera implicaram a aquisição de novas fontes de nutrientes e energia para os organismos crescentemente mais complexos. Você pode nos dizer como isso aconteceu?

Rogério Uma célula viva é um sistema isotérmico de moléculas que se autoagregam, se autoajustam e se autoperpetuam. Esse sistema extrai energia livre e matéria-prima de seu ambiente. A energia para os processos vitais da maioria das células da biosfera é captada da radiação solar, por meio da fotossíntese efetuada pelos vegetais verdes. Nesse processo, elétrons de origem solar são utilizados na elaboração de pequenas moléculas com alto conteúdo de energia química – especialmente ATP –, as fontes básicas de energia utilizadas pelos seres vivos. Os vegetais encarregam-se, também, da produção dos nutrientes básicos –

como a glicose, formada a partir apenas de água e gás carbônico – e de compostos que contêm nitrogênio extraído do ar, os aminoácidos, constituintes essenciais das proteínas. Dessa maneira, as humildes plantas encarregam-se totalmente da etapa inicial, obrigatória, do extenso processo de fornecimento de matéria-prima do ambiente aos seres vivos. Os nutrientes oferecidos pelas plantas são oxidados no interior das células de animais e dos próprios vegetais a fim de produzir a energia química essencial para os processos vitais. Outros nutrientes são reelaborados quimicamente pelas células para a produção de substâncias diversas, como hormônios e anticorpos, além da síntese das importantes proteínas filamentares utilizadas na construção das estruturas celulares e, em última instância, do estabelecimento da forma macro dos corpos multicelulares.

Regina Essa ideia formativa, seletiva e cooperativa tem importância capital não apenas numa existência, mas como algo que permeia tudo que existe desde o *big bang* e, etapa por etapa, avança adiante em camadas de organização. É uma reunião de pulsos organizados em dada arquitetura. É evidente como, a partir da célula até a formação de tecidos e camadas, os mesmos princípios atuam. Trata-se de uma organização que, tanto no micro quanto no macro, é autopulsante, autoformativa, tem uma membrana, um interior e um exterior, cresce e desenvolve camadas ao longo do tempo, tornando-se mais complexa.

A continuidade é ininterrupta. Todas essas microetapas, os "entre", a formação de uma coisa a partir de outra são selecionadas e precisas. No interior desse processo, os seres vivos tentam construir diversas estratégias para prosseguir. Observando a potência do vivo, percebemos quanto a vida luta para manter--se. A vida tem essa força porque é dotada de fantásticos sistemas de segurança, em todos os níveis, para evitar tudo aquilo que pode desagregar seus componentes. Isso nos transmite uma confiança extraordinária na vida.

Rogério Um exemplo claro dessa afirmação é o DNA nuclear, muito bem protegido por esse cofre celular central, o núcleo. A molécula do DNA tem um sistema autorreparador que entra em ação quando ocorre uma fragmentação em uma de suas extremidades. O DNA se autorrepara continuamente para preservar o código hereditário e a síntese de proteínas pela célula, para dar suporte à potência formativa, para ser capaz de resistir e prosseguir, mesmo em condições adversas.

Regina Quando você diz que o DNA se autorrepara continuamente para manter-se idêntico a si mesmo, isso é o que fazemos, como corpos humanos, para prosseguir apesar dos fatores que agridem nossa integridade. O mecanismo do reflexo do susto atua nesse dispositivo de proteção. A capacidade de desorganizar esse reflexo que o córtex motor e os músculos estriados em conjunto proporcionam é uma continuidade desse sistema primário de autorreparação.

Rogério Quando falamos de estrutura funcionante, podemos considerar o micro e compreender algo a respeito do sistema neuromotor. No sistema muscular, os componentes essenciais são moléculas de proteína – actina e miosina – que se encadeiam para formar longos filamentos, verdadeiros polímeros biológicos. A contração muscular, em última instância, em nível molecular, depende do deslocamento de finos filamentos de actina sobre um filamento grosso de miosina, promovido pela alteração da geometria espacial dessas moléculas.

Regina Em meados dos anos 1990, Stanley me apresentou dois livros de Gerald Edelman, *Neural Darwinism* e *Topobiology*. A visão de Edelman pertence à mesma família de ideias darwinianas que as concepções formativas de Keleman. Na realidade, os conceitos de Edelman ressoam com a concepção de "a mente do corpo e o corpo da mente" de Keleman, elaborada já em meados dos anos 1970. Foi uma sorte incrível, Rogério, contar com você na ocasião para decifrar o texto de Edelman. Atualmente, essas ideias estão totalmente incluídas em nossas aulas e discussões nos seminários de anatomia emocional. Vamos ver, então, como seleção e conectividade estão presentes, também, no mundo conceitual de Edelman.

Rogério Nos dias atuais, em neurociência, a conceituação mais ampla, unitária e bem aceita em relação ao sistema nervoso é a teoria da seleção de grupos neuronais (TNGS), proposta por Edelman em 1979. Nessa teoria, ele tenta explicar toda a estruturação e o funcionamento do sistema nervoso humano por meio de apenas três postulados básicos. Sua teoria chega a tentar um delineamento anatômico e funcional para explicar a consciência. Como Keleman, Edelman também trabalha com uma visão unitária corpo-mente, óbvia para a ciência da evolução hoje.

Em síntese, os três postulados da TGNS consideram: **1** o estabelecimento da neuroanatomia do cérebro durante a embriogênese; **2** as modificações funcionais dessa rede neural promovidas pela experiência durante uma história de vida; **3** o conceito de reentrância – processo de sinalização recíproca entre neurônios de diferentes grupos (mapas neurais) –, o mais importante dos três postulados, para nós, na leitura de Keleman.

O primeiro postulado considera o estabelecimento das características neuroanatômicas de dada espécie. Leva em consideração o processo seletivo na vida intrauterina, em que grupos de neurônios competem com outros grupos (competição topobiológica) para construir as estruturas neurais. Nessa competição, 70% dos neurônios chegam a morrer em certos locais do sistema nervoso, como vimos. O resultado desse processo seletivo – o estabelecimento da rede neural no sistema nervoso central – é denominado repertório primário.

Regina Eu gostaria de enfatizar essa conceituação do ponto de vista evolutivo. Você está considerando algo que, em nossa compreensão, está presente no pensamento de Keleman o tempo todo. Acontece esse primeiro momento, embriogênese, em que o sistema nervoso da espécie é esculpido com o melhor material disponível. Essa é nossa herança anatômica, a rede neural básica do corpo dado da espécie. Em relação com o que você está dizendo – essa espécie de esculpimento em que 70% dos neurônios laboriosamente produzidos são descartados –, percebo a visão de Keleman sobre inibição. Isso significa que ocorre uma inibição de tudo aquilo que efetivamente não tem utilidade para emergir, daquilo que é menos funcional para a situação, que tem menos potência. Nesse caso, tudo que não tem potência no contínuo devir de um corpo é inibido. Esse princípio vale para a continuidade do processo formativo de um corpo ao logo de sua vida.

Rogério Em termos neurais, ocorre sempre uma inter-relação entre inibição, bloqueio e a força do vivo que você e Keleman costumam sempre lembrar, a excitação. Todo o funcionamento do sistema nervoso, do primeiro neurônio mais simples até a estrutura mais complexa, como o neocórtex, implica inibição e excitação. Essa dualidade funcional é básica para a compreensão de como funciona o sistema nervoso, e também um conceito de importância capital na visão kelemaniana.

Regina Podemos ver, facilmente, como o pensamento e a prática desenvolvidos por Keleman são totalmente coerentes com o pensamento evolutivo: todo o funcionamento do sistema nervoso é seletivo. O comportamento, o traço, a ação emergem se é silenciado o que não é mais funcional. Ou, ainda, se é inibido o que não se adapta a um propósito específico. A visão de Keleman da produção de corpo é relacionada de perto com essa inter-relação inibição-excitação. Keleman mantém total coerência em sua visão, segundo a qual a prática formativa tem relação direta com o genético, passando pelo embriogenético, pelo epigenético, mantendo a lógica do topobiológico ao longo de uma vida em particular e abrangendo, na produção dos corpos, dos mapas neurais às redes das interações sociais.

Rogério O segundo postulado da TNGS afirma que, depois que a rede neuroanatômica – o repertório primário – foi estabelecida, uma seleção funcional ocorrerá nessa rede, em consequência das experiências pessoais de uma história de vida. Sobre a rede neural estabelecida no corpo inato da espécie incidirá uma ação seletiva de tudo que é mais usado, mais estimulado, que terá como resposta do sistema nervoso uma intensificação da força sináptica (sinapses, espaços na conexão de neurônios que o impulso nervoso atravessa com maior ou menor potência). O reforço na transmissão do impulso através das sinapses, pelo uso repetido dessa via, facilita a passagem dos impulsos nervosos subsequentes. É algo comparável com o uso preferencial de uma trilha, entre outras, no interior de um campo. A trilha mais utilizada mantém-se em melhores condições do que as demais, facilitando a ulterior passagem de caminhantes. A rede neural inata, característica de cada espécie, sofrerá, dessa maneira, o reforço de diferentes grupos sinápticos, diferentes vias neurais, tornando-se específica para cada indivíduo, conforme as experiências de vida que acumulou. Essa modificação da rede neural original, o repertório primário, foi denominada repertório secundário. É ele que proporciona as características únicas de cada um de nós.

Regina De acordo com esse segundo postulado da TGNS, têm importância as sinapses que foram selecionadas, e não mais a rede primária de neurônios. Ou seja, contam mais as conexões interneuronais que facilitam a experiência de vida do organismo em desenvolvimento num ambiente particular. Estamos considerando aqui o material, em nível celular, que constitui o cérebro, o que conecta melhor com o que para a construção de vias de excitação e, dessa maneira, suporta melhor a vida num organismo específico na biosfera. Existe sempre um número variável de vias potenciais e possibilidades. Algumas são mais utilizadas do que outras.

Rogério O terceiro postulado da TNGS, certamente o mais importante, relaciona-se com a conexão de mapas neurais – agrupamentos de neurônios, em distintas áreas cerebrais, interconectados e atuando na mesma função neural. Um mapa neural é relacionado com a visão, por exemplo, outro com o tato. Uma única função neural pode exigir a conexão de vários mapas. É o caso do sistema visual de macacos, que, segundo Edelman, dispõem de mais de 30 diferentes mapas neurais, cada um deles com certo grau de segregação funcional – para forma, contorno, cor, movimento, entre outros.

O terceiro postulado considera a interconexão entre mapas neurais de diversas funções neurais, por meio de conexões numerosas, paralelas e recíprocas. Esse tipo de interação é chamado reentrância, sinalizações reentrantes ocorrendo ao longo dessas conexões. Isso significa, segundo Edelman, que, na medida em que grupos de neurônios são selecionados em um mapa, outros grupos, reentrantemente conectados a diferentes mapas, podem ser selecionados na mesma ocasião. A correlação e a coordenação desses eventos seletivos são obtidas por sinalização reentrante, pelo fortalecimento de interconexões entre os mapas dentro de um segmento de tempo. Mapas neurais, portanto, são estruturas dinâmicas, não estáticas e definitivamente estabelecidas, que variam com o tempo. Uma premissa fundamental da TGNS é que a coordenação seletiva de padrões complexos de interconexão entre grupos neuronais pela reentrada é cartográfica.

Regina Por meio da aprendizagem, quer dizer, das experiências devidamente assimiladas, há uma cooperação entre redes que começam a interagir para produzir outro *design*, outra cartografia. A novidade dessa visão reside na seleção e cooperação de mapas neurais porque na vida adulta não mais ocorre a produção de tecido neural, apenas a intensificação de sinapses e novas interconexões de mapas. O foco de Keleman, em seus últimos *papers*, localiza-se totalmente na potência sinaptogênica (reentrância) de sua prática formativa, o Método dos Cinco Passos.

Rogério Depois do nascimento, não ocorre a criação de novos neurônios, apenas a perda contínua dessas células (com a possível criação de neurônios na vida adulta, a partir de células-tronco). A cada dia milhões de neurônios são destruídos.

Regina Trata-se da otimização do patrimônio neural – a reentrância de mapas que esculpem novas possibilidades por meio de novas combinações sinápticas.

Rogério A visão clássica de que existe uma hierarquia no sistema nervoso em que estruturas neurais recentes, do ponto de vista evolutivo, como o neocórtex, por exemplo, controlariam todo o sistema nervoso perdeu o sentido com o conceito de mapas reentrantes. Nessa nova visão, em última instância, o que denominamos "eu" é determinado por mapas reentrantes globais que funcionam com uma fantástica dinâmica, sujeita a mudanças no tempo e ao longo do aprendizado.

Regina O "eu" é uma construção de mapas reentrantes em ação, temporariamente estabilizados, produzindo vida de certa maneira, em determinado ambiente. Na realidade, existem múltiplos *selves*, como dizem Keleman e outros autores contemporâneos – para eles não faz sentido a ideia de um *self* monolítico. É na reentrância que acontece o que ainda não existe. Quantos mapas reentrantes são necessários para produzir uma modificação ou um novo comportamento? Apertar as mãos, por exemplo. Implica a conexão de duas áreas que têm sensibilidade, uma organização motora, um pulso, uma excitação – então um comportamento é estabelecido. Como é um aperto de mãos firme? Como é apertar mãos com sedução? Como é apertar as mãos com autoridade ou restrição? Cada um desses comportamentos se afirma quando você o repete. É o comportamento resultante da combinação de mapas motores com mapas tácteis, com mapas de temperatura e assim por diante. Trata-se de uma moldagem excitatória que organizamos em nós com uma série de variações, ou seja, muitas reentrâncias.

Rogério É o que ocorre quando se modifica a propriocepção, sensibilidade articular e muscular profunda, por exemplo, em que usamos terminais de sensibilidade diferentes.

Regina Como também ao regular o tônus muscular e distinguir diferentes qualidades da ação. Podemos compreender, então, que o comportamento é constituído de itinerários, possibilitando-nos uma narrativa. A recombinação que acontece na forma força-nos a organizar reentrâncias para poder assimilar novas intensidades e tornar-nos capazes de interagir com esses novos fluxos. Essa operação produz camadas únicas e reentrâncias novas.

Rogério Acho fantástica essa passagem que você acabou de fazer e que Keleman fez, com brilho, em seu trabalho. A biologia molecular e a neurociência, com todo seu poder interpretativo, não conseguem ultrapassar seus limites para falar do corpo em sua configuração pessoal. Keleman, com sua teoria e prática, em sua visão ampla, conseguiu fazer essa passagem. Isso é anatomia emocional.

Regina Quando ele aplica diretamente essa biologia molecular e a neurociência darwiniana ao processo vivido por pessoas, percebemos claramente do que a vida é feita. Compreendemos, também, como complexidade e biodiversidade subjetivas podem ser estimuladas e cuidadosamente moldadas. Tudo isso está em direta relação com a continuidade da produção de corpos. Quanto mais diversidade de organizações neuromotoras tivermos, mais eficientes como um soma subjetivo seremos. Esse é o dom evolutivo legado a cada um de nós para ser usado ao longo uma vida.

16 No não desejo de ser psicóloga, nem médica, é onde me encaixo

Caibo no desejo de ser artista, agenciadora de meios de expressão da experiência, ser filósofa na produção de conceitos e linguagem, ser ativista no combate à cooptação dos modos de subjetivação pelas formas dominantes. Desejo praticar certa clínica. E certa pedagogia, cujo segredo está no amadurecimento vincular. É o vínculo que produz as conexões da nossa vida no planeta, sejam elas de ordem humana, animal, vegetal, química, molecular.

No primeiro ano dessa minha vida profissional, resisti bravamente a uma situação edípica ou patriarcal que poderia ter aniquilado minha minúscula identidade profissional de então. Ao me incluir no mundo do Gaiarsa, naquele ano de 1975, passei a conviver com um ambiente de consultório médico semelhante ao ambiente do meu pai. Nele, outros médicos, todos homens, naturalmente, compartilhavam uma sala de espera sóbria regida por uma secretária discreta – que na época era chamada de enfermeira –, vestida de branco, sentada em uma escrivaninha e que recebia o pagamento das consultas. Um ambiente chocantemente diferente das casas que eu havia conhecido onde ocorriam os encontros de terapeutas e pacientes. Ainda era assim no Brasil naquele momento histórico.

O movimento alternativo que se seguiu à contracultura, mobilizando o corpo e suas transformações, ao lado de outros usos e modos de relação questionados desde a década de 1960 – como gênero, raça, dinheiro, família, moradia, trabalho e todas as questões do corpo e dos novos ambientes criados pelo desejo que se distanciava do mundo da geração anterior –, ainda não havia chegado à classe média brasileira, pois fora neutralizado com o exílio da Tropicália.

Em Londres, nessas casas que mais pareciam comunidades, circulavam vidas, os corpos se acomodavam nos diferentes ambientes para descansar, tomar chá, se refazer das sessões intensas. Alguns, nômades, acampavam por lá; alguns ajudavam, colaboravam limpando, lavando louça, fazendo chá ou bolos. Como outras, era assim a comunidade terapêutica de Ronald Laing, na qual frequentemente eu ia praticar o zazen. Laing e David Cooper, pioneiros da antipsiquiatria, foram os que receberam inicialmente Gerda Boyesen e outros, vindos do mundo de Reich – americano ou escandinavo –, validando a diferença e incluindo esses primeiros praticantes do corpo. Um forte desejo desinstitucionalizante percorria essa nova rede de heterogêneos que se formava.

A clínica do sujeito corporificado, tal como a compreendo há muito tempo, trabalha com a verdade do comportamento e sua expressão, em que o que se diz e o que se faz coincidem. Não é pouca essa diferença. Trata-se de radicalmente colocar-se como um corpo diante de outro corpo que pensa, sente, expressa-se, comporta-se, vincula-se, formando com ele, encarnadamente, condições de continuidade.

Minha prática profissional, meu ganha-pão, meu dia a dia, foi se tecendo com um combinado de ações, identificações e expressões do meu fazer e pesquisar, uma transmissão vincular dessa filosofia prática juntamente com a ajuda clínica para que essa absorção possa se dar. Esse trabalho, que se diferencia do trabalho médico e psicológico, cabe na categoria de terapia, como é chamada essa forma de ajuda em todos os lugares em que tal saber leigo chegou.

Gosto de me pensar como um agente formativo, uma profissional que sabe ativar as forças de continuidade dos corpos, das vidas e dos mundos das pessoas ao longo de suas vicissitudes, que sabe lidar com a perda de oportunidades de formar potência ao longo dos processos de maturação, conter o amadurecimento de um processo, ajudar a desmanchar formas que não conectam mais à vida, ativar o prosseguimento em direção aos modos vinculares que consideram ambientes de que somos parte de modo cada vez mais amplo, do próprio umbigo ao coletivo.

Essa **clínica formativa tal como a pratico** constitui um ato físico de presença com sentidos precisos. A presença clínica exige limpidez e precisão em sua expressão. A prática clínica é um modo de cultivar a própria vida e a vida dos que nos pedem cuidado. Pedem cuidado porque os próprios recursos não estão dando conta de prosseguir, e isso gera sofrimento. A vida pedindo passagem tem esses alarmes.

Não vamos falar só de cuidado, mas desmembrar essa ação em muitas outras, tais como estar atento, ocupar-se, ceder seu tempo, conversar sobre as questões dessa pessoa ou grupo, olhar, observar, ouvir, entender, imaginar o que cada um vive, interessar-se, compreender como aquele corpo, com seus modos de estar no mundo, foi construído por uma história de ações contínuas, como esse corpo é produtor de modos e comos, alguns que funcionam e outros que não funcionam, cartografar junto os mundos e a situação presente em que aquele corpo está inserido, desenhar para a pessoa seu corpo com seus esquemas de funcionamento excitatório atual em face dos outros corpos e situações, buscar a arqueologia do desenvolvimento daquele corpo, imitar, posturar junto, espelhar, pedir licença para tocar, mostrar com as mãos a consistência dos tecidos daquela estruturação subjetiva, repetir tudo todo o tempo, respeitar limites, não invadir nem exibir poder, manter-se na alteridade. Cada verbo traz consigo a forma e a modulação anatômica de cada comportamento.

Os verbos expressam também as ações vinculares repetidas e estabilizadas que constituem a materialidade do corpo. Esses verbos, aparentemente substantivos para quem não capta os devires com o olhar, são, na verdade, gerúndios hiperlentificados que se materializam nas formas daquele corpo, deslizam lentamente pela viscosidade dos tecidos ao longo do tempo, eletrificam combinações musculares, faiscando através de axônios e dendritos. Corpos densos, corpos duros, corpos esvaziados, corpos inflados, achatados, corpos que se alongam para longe do mundo, corpos, corpos, corpos e as formas de funcionar pelas quais são reconhecidos.

A clínica cultiva o prosseguimento dessas vidas, dessa complexa vida biológica, em cada corpo. A clínica é como uma estufa, como a estufa de Darwin. E *to grow* é seu verbo. Cultivar é pouco para uma tradução vernácula desse verbo maravilhoso. *To grow* é ativar a força imanente que impulsiona a continuidade da passagem da vida por ali, com seu impulso de formar canais vivos de continuidade para si. Essa frase inteira diz melhor em português, essa nossa língua substantiva com a qual é tão difícil expressar processos, o que é *to grow*. A metáfora é agrária. Essa filosofia ecológica vê os corpos como seres vivos, animais e vegetais, em sua mútua interdependência e conexão para prosseguir essa tarefa conjunta de colonizar a rocha voadora que chamamos de Terra. Como Mendel, Darwin prosseguiu sua compreensão do comportamento reprodutivo e seletivo da vida observando e cultivando plantas. Corpos são brotações da biosfera, canalizações da vida.

A vida quer prosseguir através dos corpos que ela mesma gera. Keleman, com seu pragmatismo contemplativo, diz em algum lugar: "*The business of life is to make bodies*". Ponto.

Gerar um livro é também um ato físico de criar condições de expressão.

Expressão é aparecer, materializar, funcionar nos ambientes de que somos parte, produtores e produzidos. Com livros, palavras, gestos, emoções, trabalhos vários. Agir como parte. Sempre contendo o próprio processo dentro de suas bordas e conectando. Em diferentes permanências, durações e velocidades.

17 Um americano me espera

Após todas essas ações afirmativas de escrita, sonho com um americano em uma porta. Ele é o marido da minha prima. Sua presença se impõe na porta com autoridade e ao mesmo tempo disponibilidade. Ele é um bom pai americano e um bom educador. Veio me buscar. Quando achou conveniente. Vai me levar para algum lugar. Está na porta, um pouco de lado, não exatamente no meio, sendo emoldurado pelo batente.

Resisto. Não acho que esteja na hora de segui-lo. Isso se chama procrastinação? Conheço esse estado. Parece que vou morrer se ceder e seguir com ele, obedecendo ao tempo e à oportunidade que se apresentam. Não gostei desta palavra, "oportunidade". Mas com ela, quer se goste ou não, abre-se uma porta e se impõe a oportunidade de fazer isto, e não outra coisa: seguir por essa porta, guiada por esse americano grande que já se move no espaço com seu modo um pouco brutal e assertivo, embora maciamente. Aciono em mim não olhar para trás e passar pela porta onde ele está. Veio me buscar e vai me levar a algum lugar. Já vou, estou indo. A porta é antiga, escura, envernizada e tem um chapeleiro ao lado. Gosto dessas casas que guardam os anos 1940 dentro delas.

No ano de 1998, fui para Berkeley no verão. Hospedei-me novamente na casa de Halcea Valdez, algumas casas abaixo da de Keleman, no mesmo quarteirão. É uma casa vitoriana bem maior, branca, de esquina. Halcea é uma acumuladora e colecionadora de objetos e moveis vitorianos de todo tipo. A casa é abarrotada. Halcea é assistente social aposentada. Parece que herdou a propriedade do marido falecido. Ela tem uma *guest house* de vários quartos com mobília, lençóis, objetos vitorianos. Fiquei, dessa vez, num quarto de mansarda cheio de bonecas e um pequeno mirante para o mar. Essas casas vitorianas aparecem em muitos filmes dos anos 1940. Acredito que os americanos necessitassem firmar suas imagens de família, infância e segurança para suportar os anos da guerra.

Não consigo me lembrar quantas vezes fui para lá entre 1992 e 2004. Muitas vezes seguidas. Sei que ele veio quatro vezes, trazido sempre por mim e Leila Cohn: uma primeira em Itatiaia, uma segunda em São Paulo, outra no Rio e, por último, uma em São Paulo. Leila acabara de chegar de vários anos na Califórnia depois de uma bela formação com Keleman – terapia continuada, *workshops*, grupos de exercício, participando do grupo profissional, convivendo na comunidade. Leila chegou lá muito jovem. Formávamos uma boa dupla na produção desse começo, acompanhadas por Ana Lucia Rocha, com sua grande capacidade de concretização de projetos intensos e diferentes, como os que tínhamos para Keleman no Brasil, Leila e eu. Eu já bem implantada em São Paulo com meu trabalho bastante autoral e Leila chegando ao Rio de Janeiro, onde sempre viveu, com sua bela formação na bagagem. Entre essas vindas, muitas idas minhas aconteceram. E, entre as idas, uma correspondência frequente por e-mail foi se fazendo sobre diversos assuntos, como a tradução de seus livros, os projetos para suas vindas, a organização da comunidade do Centro de Educação Somática Existencial que Ana Lucia e eu levávamos adiante. Sonhos, medos e crises, pessoais e institucionais, eram conversados formativamente, criando sentido e valor para esse modo único como vamos cultivando a vida. Eu aprendia, me tratava, tecia um vínculo profissional.

Olho para a porta onde o marido americano da minha prima me esperava. Sonhei apenas com essa imagem. Os móveis escuros me fazem reconhecer ambientes de um Brasil que teve brevemente identidade própria durante a Segunda Guerra. Os grandes estavam em guerra e nós estávamos em paz no nosso hemisfério, dando conta da nossa vida brasileira. Eles estavam preocupados com a guerra e nós celebrávamos nossa paz cotidiana.

Éramos, como somos, um pais racista, patriarcal, conservador, que produzia músicas românticas e lutas comunistas subterrâneas que não chegavam àquele mundo calmo de Araraquara, com suas luzes amarelas como as de Berkeley, nos postes e nas ruas de paralelepípedos, por onde passavam carroças que chacoalhavam um som cheio de gemidos, puxadas por cavalos cujas patas tamborilavam com estalos de ferradura nas pedras do calçamento.

Na Suíça, já no início dos anos 1960, encontrei ambientes estáveis assim. Talvez na recorrência de homens europeus, há gerações, se casando com mulheres da minha família ecoe esse desejo de absorver uma tradição como a que encontrei nessa Califórnia – no caso, a das casas de madeira trazidas por imigrantes suecos.

Mais do que nunca, depois dos anos 1950, que foram modernizadores do desejo das pessoas, obviamente, meus pais aspiravam ser modernos. Enlouquecidos com o cinema americano, a sociedade de consumo, a música das *big bands* e dos Sinatras da vida, partiam em busca desses mundos, voltando com filmes super-8, slides e fotos de seus passeios, malas e malas de roupas, *gadgets*, eletrodomésticos. Um mundo de sintéticos coloridos chegava com eles. Sempre tive pena dessa descaracterização. Meus pais foram muito facilmente colonizados. Meu pai era um baiano moderno, frequentava o Rio de Janeiro, que naquele tempo brilhava em noites tropicais para americanos, assim como Cuba. Minha mãe gostava de costurar ela mesma roupas especiais para essas incursões cinematográficas com meu pai.

O marido americano da minha prima, que estava na porta do sonho me esperando, me transportou finalmente, por algum passe que desconheço, para dentro da sala de espera da casa vitoriana em Berkeley, onde espero ser chamada para a minha sessão com Keleman. Esse passe, pensando bem, talvez se chame confiança. Através desse grande corpo de um homem maduro americano que é um bom pai, um bom educador, um marido companheiro, um consultor de empresas internacional e poderoso que simpaticamente me aconselha às vezes nas minhas finanças, posso sentir novamente confiança e me reaproximar daquele Keleman que desde o episódio da *Festschrift* cortou relações comigo, defendendo seu território ferozmente de qualquer contaminação que pudesse soar esquerdizante.

Quando tocar a campainha, sairei da pequena sala com cadeiras de vime e plantas penduradas. Abrirei a porta pesada, que tem uma parte de vidro para entrar a luz da rua calma, girarei a grande maçaneta de bronze, sairei para um pequeno patamar, abrirei a outra porta também pesada e também parcialmente de vidro, girarei a maçaneta e subirei a escada estreita de madeira, coberta de carpete vermelho gasto, com passos que ecoarão na acústica da casa de madeira. Keleman estará no alto me esperando. Recomeçaremos a conversar.

18 Retomando a conversa com Keleman

Posso, agora, voltar a me aproximar do Keleman que guardo dentro de mim sem ansiedade.

Posso dizer que uma fobia se instalou desde aquele terrível confronto, quando fui excluída daquele mundo após o artigo em que incluí no processo formativo dos corpos a instância da nossa adaptação ao ambiente planetário regido pelo poder capitalístico que exerce onipresentemente sua ameaça de exclusão sobre os corpos com sua força concentracionista da exploração daquilo que é comum, isto é, os recursos do planeta.

Era o verão de 2006, eu passava férias na casa de São Sebastião e a Guerra do Iraque, em um dos seus muitos momentos agudos, reverberava forte. Keleman e a guerra eram assunto na nossa mesa de almoço. A cada dia, tínhamos bombardeios reais e digitais para digerir. Tive muito medo de retaliação naquele momento.

Quero dizer com essa pequena introdução que a formação do sujeito, seja pela via do *embodiment* ou da linguagem, por meio do estudo, da prática e do próprio processo terapêutico ou analítico de cada um, como quiser, se passa dentro de um campo narrativo complexo cheio de voltas, comportamentos, ações, sentimentos, imaginações e condições reais, cenas que não podem ser reduzidas nem a *papers* do tipo acadêmico nem apenas a narrativas de processos pessoais ou clínicos.

Essa relação, ou vínculo formativo, em que se formam o pensamento e os corpos, se passa num campo real, de forças políticas. Inscreve-se no romance histórico-mundial, termo cunhado por Guattari, e não no romance familiar, cunhado por Freud e reiterado pelo pensamento kelemaniano; são histórias pessoais cheias de afetos e poderes.

A relação com Keleman foi um processo formativo povoado de sentidos e associações, conscientes e inconscientes, vindos de muitas camadas pessoais e pós-pessoais. Nunca consegui ser suficientemente clara na comunicação daquilo que era evidente para mim, de que as vidas se fazem em múltiplas ecologias que se entrelaçam e precisam ser compreendidas em suas lógicas de poder. Quem controla e como controla os recursos do planeta onde vivemos? E como formamos corpo nesses ambientes, locais e gerais?

Mas muitos sentimentos conflitivos de dependência, admiração, desafio e suas expressões comportamentais e vinculares nunca me permitiram viver a confiança necessária que vejo nos kelemanianos de mundos semelhantes ao dele, que escrevem nessa revista eletrônica que mencionei, para ser clara o bastante a ponto de ser compreendida na minha comunicação. Ou talvez o conflito Norte-Sul, entre países ricos e países pobres, fosse o limite do possível entendimento.

Acordo calma no dia seguinte ao sonho com o americano que me esperava na porta e vou escolher como retomar essa conversa. Sim, sonhos. Quero começar a conversar sobre os sonhos, em sua total verdade e transparência, que me acompanharam até agora neste processo de fazer um livro.

Vou certeira para o número especial da revista da United States Association for Body Psychotherapy (v. 6, n. 1, 2007), a própria revista, na época referida como *Festschrift*, e começo a percorrer os artigos dos kelemanianos que participaram daquela publicação.

Dois artigos de Keleman abrem o volume: um sobre sonhos e o outro sobre o método formativo. E, nessa mesma noite, volto a sonhar.

Em seu último e-mail, escrito em março de 2007, mas que só pude enxergar apoiada no sonho com o americano que me esperava na porta, Keleman reconhece minha diferença e distância. Posso novamente receber no corpo seu tom *cheerful*. Eu havia estacado no confronto assustador daquele verão de 2006 de São Sebastião, associado à Guerra do Iraque, em que ele me ameaçava com seus advogados caso eu utilizasse publicamente vídeos de seus *workshops* no Brasil, as imagens do livro *Anatomia emocional* ou citasse sem sua autorização textos de *papers* dos seus seminários. Senti a força da propriedade privada nos Estados Unidos, mas também o quanto meu desejo colonial permanecia ativo até ali e por muito tempo ainda depois, como se minha estrita sobrevivência dependesse dessa identificação.

Por mais de uma década, eu não registrara esse e-mail, datado de pouco mais de um ano após o embate, no qual Keleman agradece as traduções, o acolhimento nas suas vindas a São Paulo, elogia minha continuidade, reconhece que desenvolvi um trabalho que tem fortemente sua influência e termina com a leveza que reconheço nele: *"I hope you sing your own song"*.

Depois de ler esse print como se fosse pela primeira vez, sonhei com pacotes que me chegavam boiando pela água. Era uma água que corria por baixo de uma camada que parecia asfalto. Eu levantava uma borda como se fosse uma superfície de plástico maleável, bem coesa, e retirava os pacotes que me chegavam trazidos pela correnteza.

Pensei em verbos como *to pack, to mail* e *to ship*, os quais eu utilizava na correspondência com o Center quando moléculas, blocos bem delimitados da produção de Keleman, me chegavam por correio: livros, vídeos, fitas de áudio, brochuras. Nesse tempo, eu me sentia vivendo na colônia, longe, em fiel contato com a metrópole, uma cidadã de ultramar.

Mas por que essa via líquida está encoberta, como os rios da cidade de São Paulo? Por que vias subterrâneas?

Os pacotes – de informação, no caso – me chegavam pelas correntes plasmáticas do interior do corpo, óbvio. São moléculas a se misturar com outras para formar tecido. Já existe um tecido de asfalto grosso e plástico que lembra as paredes do corpo tubular de *Anatomia emocional*, representado na figura 10, com a qual sonhei e que mostra tubos dentro de tubo; sim.

Como um corpo absorve ambiente e o transforma em parte da sua estrutura? Como, nessa distância separada pela extensão de um continente, selecionar e absorver elementos do ambiente Keleman? Sim. Como nas guerras coloniais, para que uma herança pudesse ser incorporada sem um tremendo sentimento de submissão cultural, toda uma guerrilha teve de ser levada a campo.

Retomo essa correspondência, salva no arquivo onde guardo documentos, certidões, escrituras, contratos. Surpreendo-me por não ter absorvido no meu entendimento essa informação da separação final, o que me havia impedido de escrever um primeiro livro até agora, temendo incorrer novamente em mistura e que isso fosse vivido como roubo, invasão, apropriação indevida. Releio repetidamente os limites colocados por ele e aceitos por mim de como e o que seria possível usar do seu ambiente conceitual sem ferir seus direitos autorais.

Podemos discutir aqui políticas autorais, questionar como o conhecimento pode ser privatizado, palavras etc. e discordar ou questionar politicamente essa privatização. Desejei fazer de Keleman o que Guattari foi para Suely, um parceiro das revoluções moleculares em nosso país, esperando dele uma atitude diferente em relação à propriedade privada. Não importa, esses são os termos.

Após essa troca de correspondência na qual os limites claros foram colocados, Keleman me havia enviado por correio o número especial dos seus 75 anos, e eu, sob a ação do terror, não registrei esse fato e continuei operando na situação anterior. Um precioso artigo sobre sonho e corpo me permite agora prosseguir, neste momento, um diálogo interno com as moléculas desse mundo kelemaniano que compõe com minhas cartografias, úteis para a produção de corpo na realidade brasileira.

O processo de seleção natural que prossegue em nível molecular ontogenético se torna acessível e praticável para mim. É a topobiologia de Edelman, utilizada por Keleman, que estou colocando em ação na forma deste comportamento presente: escrever. Estou escrevendo. Escrever é uma formatação da presença, uma composição molecular, a embriogênese de um corpo – no caso, de texto.

19 Sobre parar-se

Quando, a certa altura da escrita, comecei a formar bordas para o processo de produzir esta parte – de fazer voltar o texto sobre si mesmo –, sem dúvida a mais difícil, sonhei com muitas pessoas sentadas no chão. Estavam reunidas por alguma razão. Havia uma espécie de carroção no meio. Era um carroção cigano. Vi um desses acampado na Inglaterra, muito tempo atrás, no começo da minha jornada. Mas não importa.

Todas as pessoas, homens, tinham uma barba longa que brotava apenas do queixo. Pareciam mongóis, um povo nômade.

Era um cabelo liso, fino, belo e longo que seguiria crescendo infinitamente do queixo enquanto esse corpo canalizasse vida.

A ação que importa nesse sonho é quando passo por cada um deles, cortando curto e reto suas barbas, interrompendo por um momento o contínuo crescimento de fios e dando a eles uma forma firme, produzindo uma ação voluntária sobre o processo involuntário de brotar cabelo. Uma mão segura o maço de cabelo macio e a outra, com uma tesoura afiada, estabelece de um golpe só o limite das barbas.

É isso que vamos fazer na produção deste livro: cortar por um momento esse nomadismo da narrativa, acampar por um tempo e organizar um texto que permanecerá estável para sempre.

Como faz meu corpo-regina para aceitar essa interrupção da narrativa viva que seguiria numa proliferação aparentemente sem fim, numa espécie de mil e uma noites?

Essa expansão da excitação deve ser barrada pela coagulação das bordas deste corpo acostumado a expandir. Isso, na linguagem kelemaniana que estamos usando para falar e viver o corpo, se chama *ending*. O que vinha vindo não funciona mais. O corte obriga a excitação a voltar-se sobre si e começar a incubar um novo começo.

Pergunto-me, no sonho, com aquela grande quantidade de cabelo cortado na mão, o que fazer com a sobra da poda? Guardar? Deixar de lado? Esquecer por um tempo? Jogar ao vento? Um novo sonho talvez me indique o que fazer. Ou apenas o andar da carruagem ou do carroção na direção da volta sobre si vá configurando e, a seguir, revelando um território que ainda não existe.

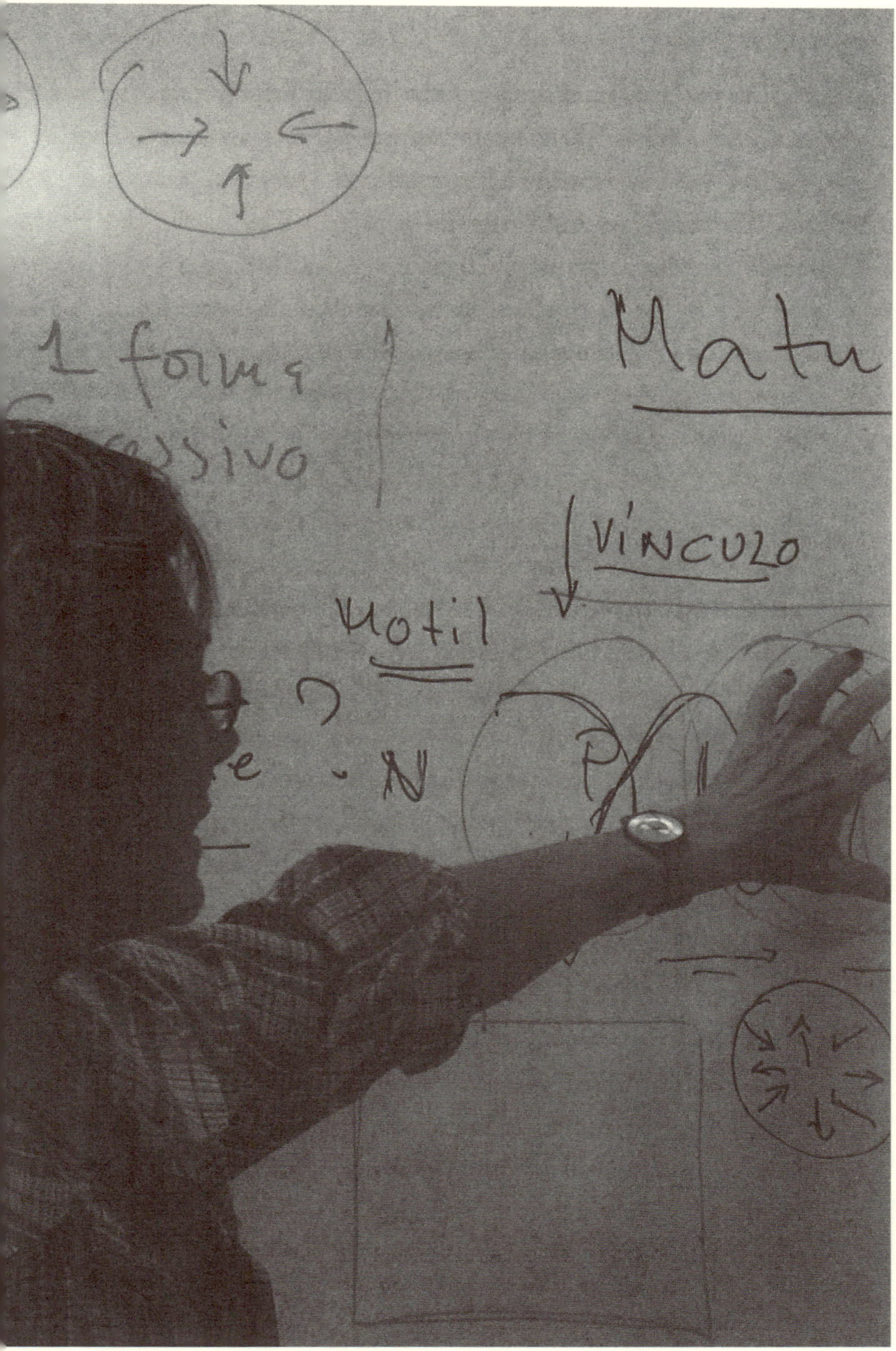
Matu
1 forma
VÍNCULO
motil

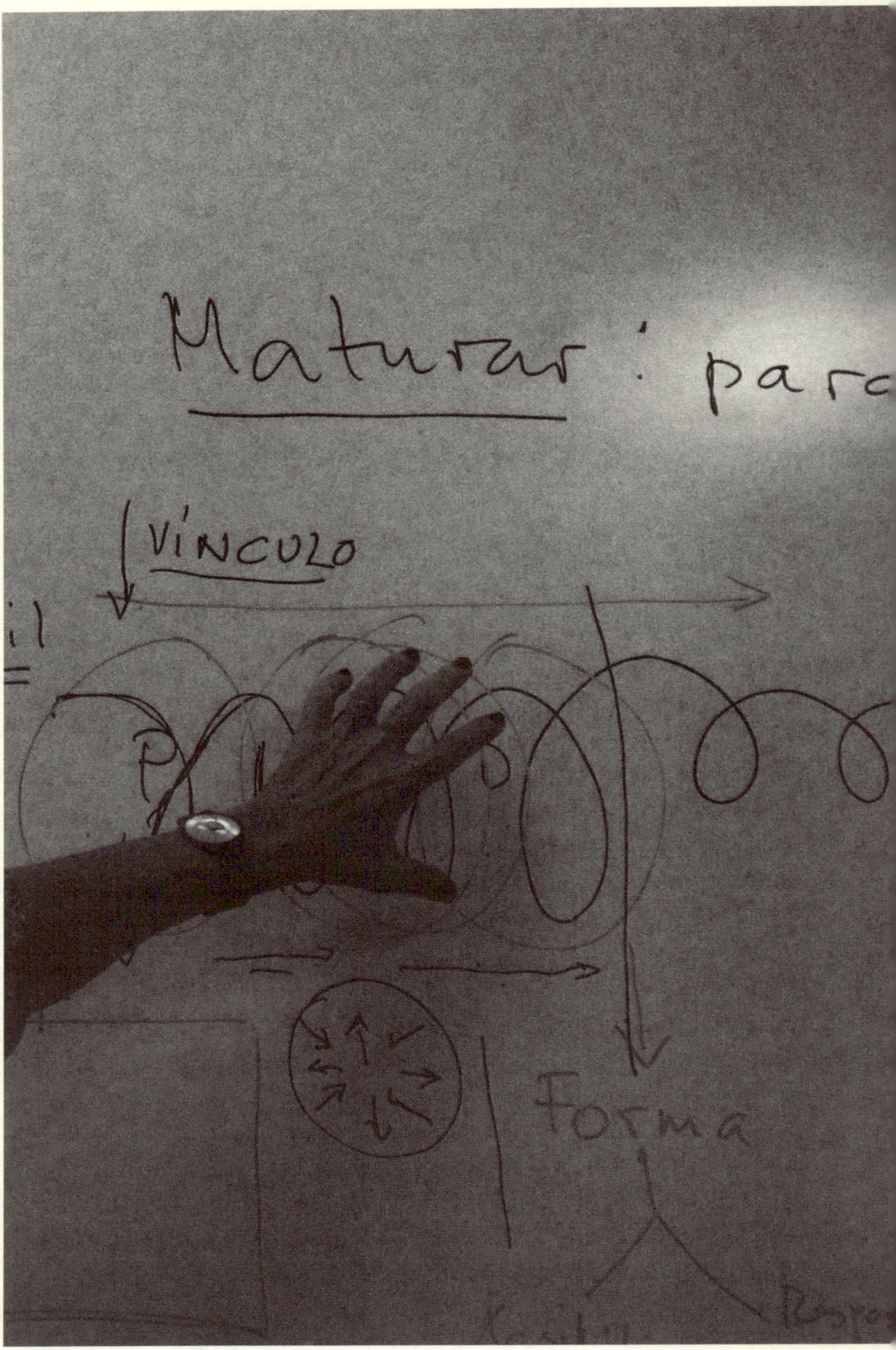

Maturar: para

VÍNCULO

Forma

PARTE II ENGENDRANDO UM KELEMAN

20 Na instalação didática

Ao chamar de **instalação didática** o processo que mostro a seguir, estou expressando, em primeiro lugar, minha admiração pela figura de Joseph Beuys, criador dessa expressão, bem como o sentimento profundo de me identificar com o espírito de sua arte, suas lousas, seu conceito de escultura social.

E, em segundo lugar, afirmo a necessidade absoluta de usar um agenciamento estético para o ensino e o estudo do corpo, a formulação de uma anatomia aberta para a mutação, suas ações, sua potência, seus múltiplos ambientes, suas redes, seus processos de subjetivação. Mostrar a realidade somática em contínua produção de si e combater as modelizações que capturam e apequenam sua funcionalidade e potência de singularização é uma tarefa que requer um entrelaçamento delicado de linguagens e recursos expressivos.

21 Uma inteligência coletiva

Quando olhamos as fotos e videogravações produzidas a partir dos seminários do Laboratório do Processo Formativo, e sua parcialíssima edição e postagem no site do Laboratório ao longo de anos, provavelmente não nos damos conta da enorme quantidade de atividades e condições necessárias para a sua efetuação: a formulação de propostas do modo de estudo vivenciado e sua veiculação na internet, os recursos tecnológicos, a mobilização de alunos, a sustentação de certa infraestrutura e muitos outros aspectos.

Se apenas desejássemos descrever alguns momentos de um encontro dos seminários que acontecem no Laboratório do Processo Formativo e enumerar tudo que estava ali compondo **aquele presente** no qual os corpos se formavam em tempo real, visível e invisível, precisaríamos da competência de um grande romancista e de uma infinidade de páginas.

Poderíamos, por exemplo, começar pela sala de grupo, sua adaptação, os equipamentos, as instalações, as janelas antirruído espelhadas, o chão branco no qual as ações normais das pessoas aparecem como esculturas de si, a iluminação, o grande mundo lá fora constantemente lembrado... Além disso, descreveríamos a ação do câmera, do relator, os modos de transcrição e gravação utilizados, as cartografias no quadro-branco que chamo de ovo, as formas de exibição no telão, na televisão, no próprio ovo – em que as imagens dos corpos podem ser redesenhadas e compreendidas em sua relação forma-função.

Os fios, a internet de onde retiramos os mais variados vídeos de ciência, comportamento, arte para compor nosso ambiente cognitivo... a edição que transforma o acontecimento captado em posts, imagem e texto que serão publicados no site ou virarão *handouts* a ser retrabalhados e multiplicados nos grupos. Captações de imagem e texto, que mais surpreendentemente ainda vão alimentar em tempo real, no Facebook, os grupos fechados nos quais os alunos podem encontrar trechos de falas, cenas, fotos, teoria, diálogos do acontecimento grupal na instalação didática (que às vezes chamamos de aquário) que poderão ser revistos, estudados e democraticamente utilizados por eles.

Essa estratégia ágil, complexa e relativamente barata evidencia que vivemos e formamos nossa vida, continuamente, em **ecologias.** Que somos parte não só de famílias, mas de redes físicas, afetivas, cognitivas, tecnológicas, políticas, sociais, informacionais. É esse efeito que busco com a articulação de elementos heterogêneos que chamo aqui de **instalação didática**. O conteúdo não se separa do vivido, do registrado, das práticas, da própria instalação e das ações que sustentam essa produção. É tudo autoevidente. Esse é o **acontecimento-seminário** em que os corpos estão imersos.

Desde os anos 1960, quando eu ainda era quase uma garota, a frase lapidar de Marshall McLuhan nunca deixou de me impactar:

o meio é a mensagem. Nesse sentido, mostrar e enfatizar a instalação didática, suas mídias, seu agenciamento de recursos que ultrapassam infinitamente o indivíduo expressa, afeta e ensina tanto quanto as cartografias que conduzem nosso trabalho – filosófico, clínico e pedagógico. Olhamos e imediatamente captamos. Ah, sim, e os corpos respondem a esse ambiente complexo e real, sendo dessas respostas que extraímos a compreensão de corpo que é objeto do nosso estudo. E assim vamos.

22 Para fazer funcionar a instalação didática

É necessário praticar e compreender o **corpo como bomba pulsátil** e aprender a se reconhecer como parte de múltiplas ecologias, saber-se um corpo na multidão, sensibilizar-se para a inteligência coletiva. Mas todos esses conceitos – ou, mais precisamente, essas evidências – não podem ser apreendidos, descritos, expressos em seu movimento de devir apenas intelectualmente. Eles só se apresentam pulsantes numa captação entrecruzada, num *feeling*, num ato de concretude da presença física. Mostrar a inteligência coletiva da instalação didática e o desdobramento de estratégias, práticas e produtos no acontecimento grupal nos ensina diretamente que estamos, sempre, dando corpo ao vivido e formando os ambientes de que somos parte. E que, consequentemente, é possível dissolver o individualismo exacerbado do capitalismo contemporâneo em nós, amadurecer nossas formas de conexão, formar comportamentos e modos de funcionar em cooperação, como parte de processos maiores...

Ser corpos na multidão, medusas nos mares, bombas pulsáteis... bombeando, pensando, agindo e produzindo nas redes que evidentemente são a nossa realidade...

23 Bombeando-se

Extraí o conceito de bomba pulsátil da anatomia emocional de Stanley Keleman. Na minha transmissão formativa, desenvolvo a visão desse *design* evolutivo ampliando-o para as condições da nossa vida no ambiente global, como corpos na multidão cuja funcionalidade reside na contenção de si, na autonomia e na alta conectividade.

Faço sentir como corpos se produzem numa embriogênese continuada, se tecem a si mesmos como um dentro e um fora, uma superfície e uma profundidade, que as bordas contêm a excitação do vivido imerso no acontecimento, que os corpos se fazem em ambientes-acontecimentos ao longo de sua história formativa, em gradientes de mais ou menos consistência, mais e menos excitação...

Os corpos se configuram com os tecidos, evidenciam mais ou menos amadurecimento, mais ou menos potência de absorver o acontecimento presente e formar estruturas mais ou menos precisas com o vivido. Os corpos mostram claramente o que vivem. Quanto mais finamente conectados com os elementos e fluxos que se condensam em seu presente, quanto mais bombeiam suas ecologias, mais potentes os corpos se fazem...

O *como* é a chave para compreendermos as ações dos corpos e para nos reconhecermos como corpos, como fazemos o que fazemos com a nossa forma para sustentar presença. Nosso trabalho de vida é estruturar nossos modos de funcionar em relação ao presente, de modo singular, no embalo autoprodutivo dos corpos. Aprender e praticar. Não por uma razão moral, mas porque, bem articulada e em formas mais atualizadas, a vida se canaliza e funciona melhor em nós e nas nossas ecologias. A prática intencional do *embodiment* é a arte da pessoa comum. No exercício da bomba pulsátil, combinado com a prática kelemaniana do *como*, aprendemos a manejar as bordas, atrair os ambientes com o vácuo interno, absorvê-los e bombeá-los de volta como expressão conectiva de nós. O reconhecimento e o manejo das bordas e da excitação são centrais para o amadurecimento da nossa real condição como parte dos processos maiores.

Nosso alfabeto é binário: expansão e contração, em amplitudes e formas quase infinitas. Crescemos ao longo da vida, podendo complexificar da fusão para a cooperação, da dependência absoluta para a autonomia cooperativa. Esse conceito psicológico, político e biológico ao mesmo tempo só existe quando praticado.

As intervenções, como veremos a seguir, acontecem nos encontros grupais do Laboratório do Processo Formativo não como uma prática clínica em si mesma, mas como uma ajuda para que um corpo se alinhe cada vez mais finamente com o processo formativo que prossegue. Nossa mestra é a medusa, como podemos ver no vídeo Embodiment en Buenos Aires.

24 No exercício da bomba pulsátil: linguagem em ação ou um diálogo formativo

1 IDENTIFICANDO: O QUE É

Aluna Tenho dificuldade de ficar com meu corpo. É muito difícil. Prefiro não pensar... muita informação... é muita loucura... forças muito opostas ... uma superexcitação...

2 IDENTIFICANDO: COMO É

Regina Ponha os pés no chão...
Aluna Me conforta ficar espremida, estou sempre com a mão perto da boca.
Regina Você foi ganhando intensidade desde o seu trabalho anterior no grupo de anos atrás. Da profundidade vazia que você vivenciou com as imagens que produzimos naquela época, você foi se enchendo de intensidade, de excitação. Atualmente, parece que você está produzindo e administrando intensidade de outro modo.
Aluna Me sinto muito mais forte e presente...

3 IDENTIFICANDO: UM CAMINHO FORMATIVO

Regina Naquela época, o que havia era um corpo de carência, mais para esvaziado de si... isso é o que atravessava aquele trabalho... e lá, naquela gravação em grupo, você termina pegando a vida com força... são as últimas imagens daquele registro. Hoje a questão é outra: você não dá conta de modelar inteiramente a sua intensidade com as suas bordas e sente vergonha.
Aluna Sim. Tem uma superfície *tímida* (mão que esconde a boca)... mas *aqui eu quero*... me percebo *transbordando* e não sei o que fazer.

4 IDENTIFICANDO-SE COM A BOMBA PULSÁTIL

Regina Vamos experimentar fazer esse movimento grande... sente-se grande... com espaço... você vai saborear grande essa onda que vai para fora e para trás... a bomba do tórax... contraia intencionalmente e deixe expandir. É só permitir. Você está querendo muito da vida... quero mais, quero mais... assuma isso... tudo... torne clara a ação para você a partir da bomba pulsátil, bombeando no ambiente... (boca e braços se abrem grande... expansão) quero... quero pegar a vida com tudo... mãos... boca...

25 Identificando-se com o quem das ações da bomba pulsátil

Aluna Já estou feliz... assim fica tudo bom...

Regina Sustente esse pulso dentro, deixe acontecer a intensidade aí para viver a experiência que te cabe viver.

Aluna (chora) Isso dói... agora preciso me confortar... (a aluna se conforta).

Regina Sim, fazendo esse travesseirinho de mãos... assim você se toma de volta... conforta-se do grande esforço emocional que é só conseguir expandir com essa forma que você é atualmente... Desta vez, você consegue retirar-se e confortar-se... ir e voltar... você está começando a organizar essa contração na sua forma, cuja tendência, ainda imatura, é sobretudo expandir... nessa aprendizagem em que você se capta expandindo sempre, você descobre a volta sobre si, começa a criar contração e formar mais tônus de superfície.

Aluna É muito bom saber que posso ir e voltar...

Regina Sim... você começa a se chamar de volta... volta aqui... expandir sobre o ambiente e agora voltar... cuidar-se... acolher-se... são ações da bomba pulsátil em seu processo de amadurecer, completar o ciclo de expandir e contrair, alimentar intensidade, fortalecer bordas...

Aluna Sim, foi bom fazer isso.

Relatora No registro dela em outro grupo, anos atrás, havia também esse gesto de segurar o rosto para se reconhecer. Hoje, isso se esboçou de novo. E, em seguida, surgiu o gesto de se confortar. Ela ampliou suas possibilidades.

Os gestos, as modelagens experimentais da bomba pulsátil, os verbos, os diversos sujeitos dos verbos construindo quem ainda não somos, praticando nossa arte de pessoas comuns, em nossas instalações existenciais…

PARTE III CENAS DE UMA INSTALAÇÃO DIDÁTICA

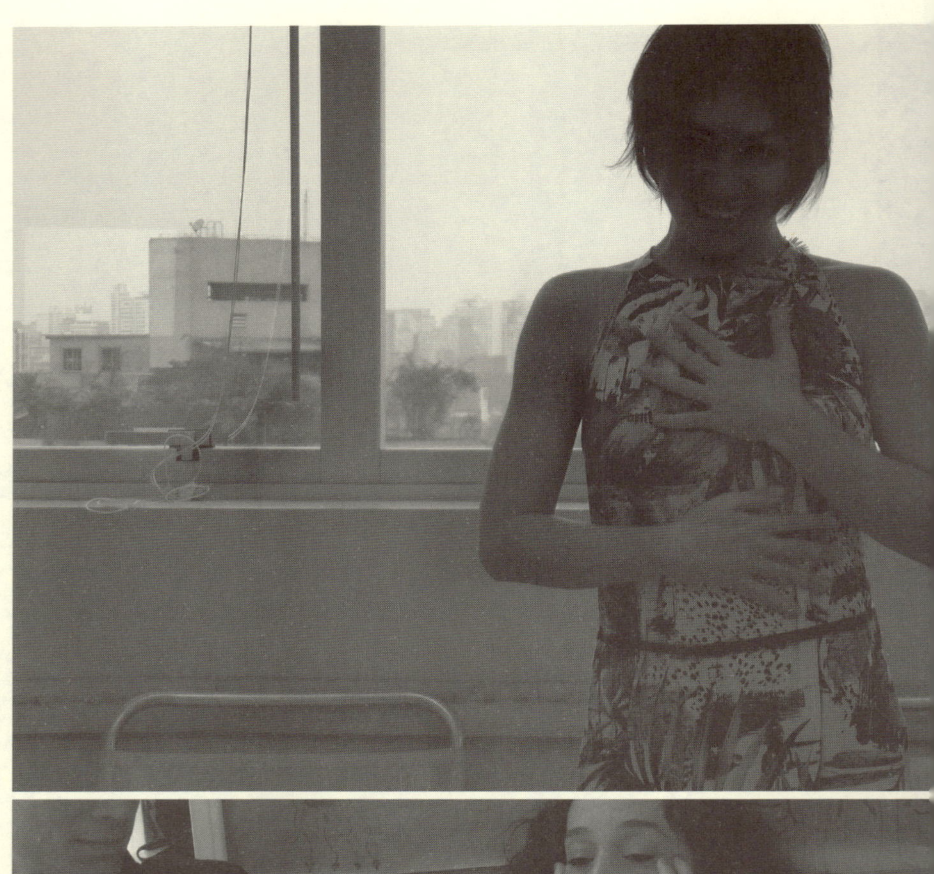

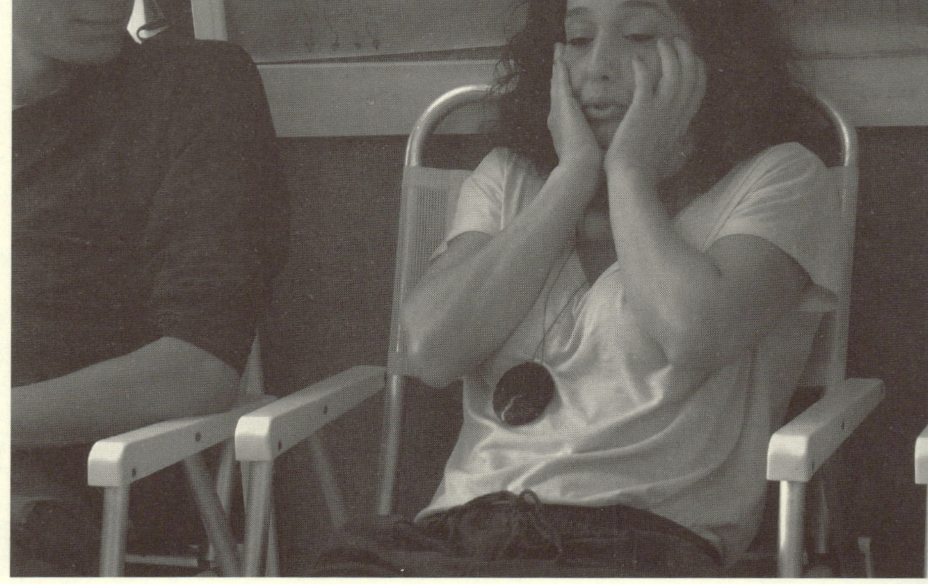

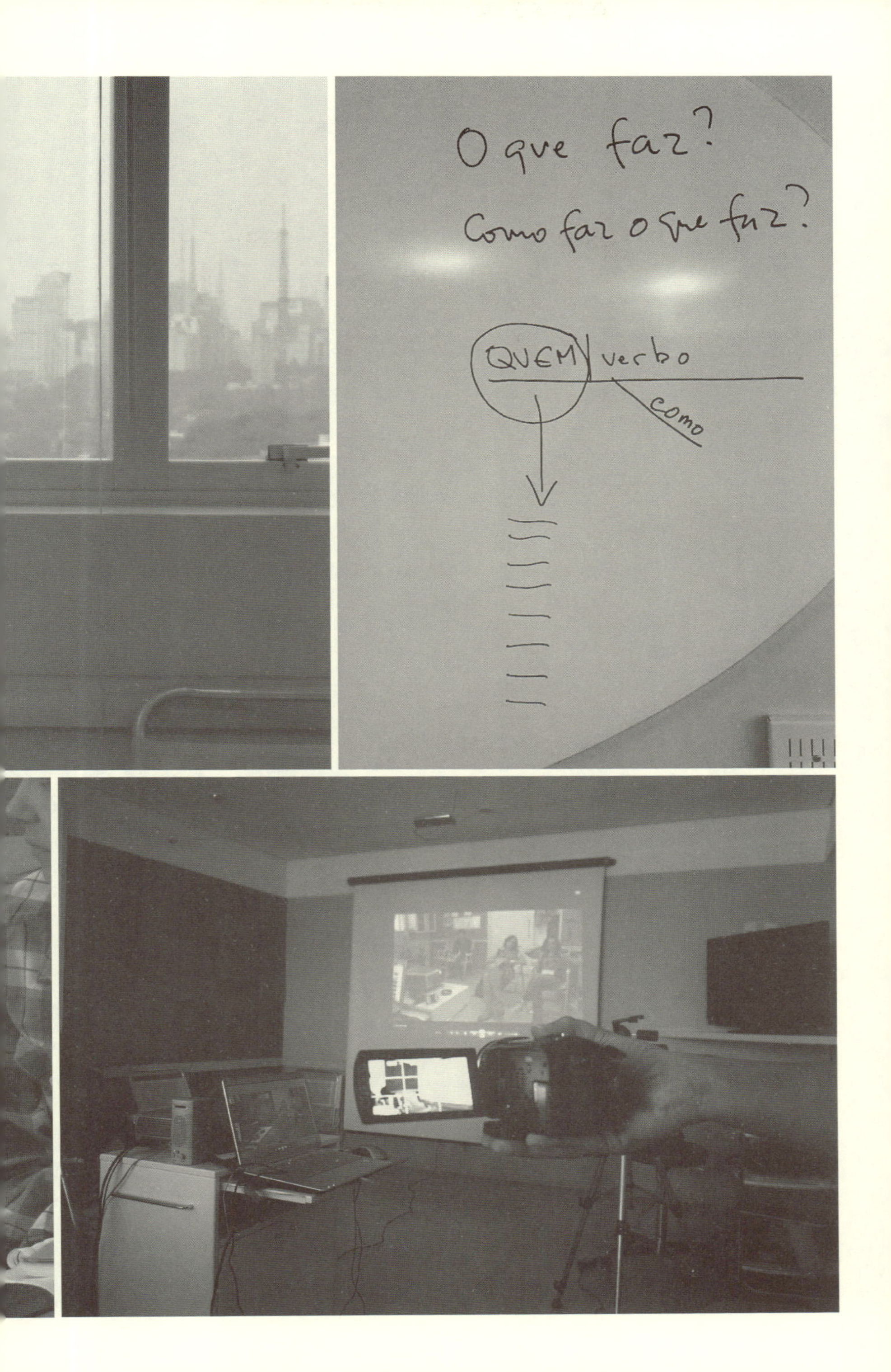
O que faz?
Como faz o que faz?
QUEM
verbo
como

sejo para o dia de hoje, em vocês, para este
ncontro? Alguém sonhou alguma coisa hoje?

ho que poder reconhecer o que cada um está fazendo o que
á acontecendo na sua estrutura e dar um pouco mais de
dez no design da presença de vocês, aqui e agora, perceber e
a forma como uma certa afirmação do presente. A forma é
afirmação, um statement, como diz o Keleman. A forma é
atement.

melhor esta forma e agrega uma palavra do mar de
s. Tem uma cena maravilhosa no vídeo quando
endo de novo o mar de palavr

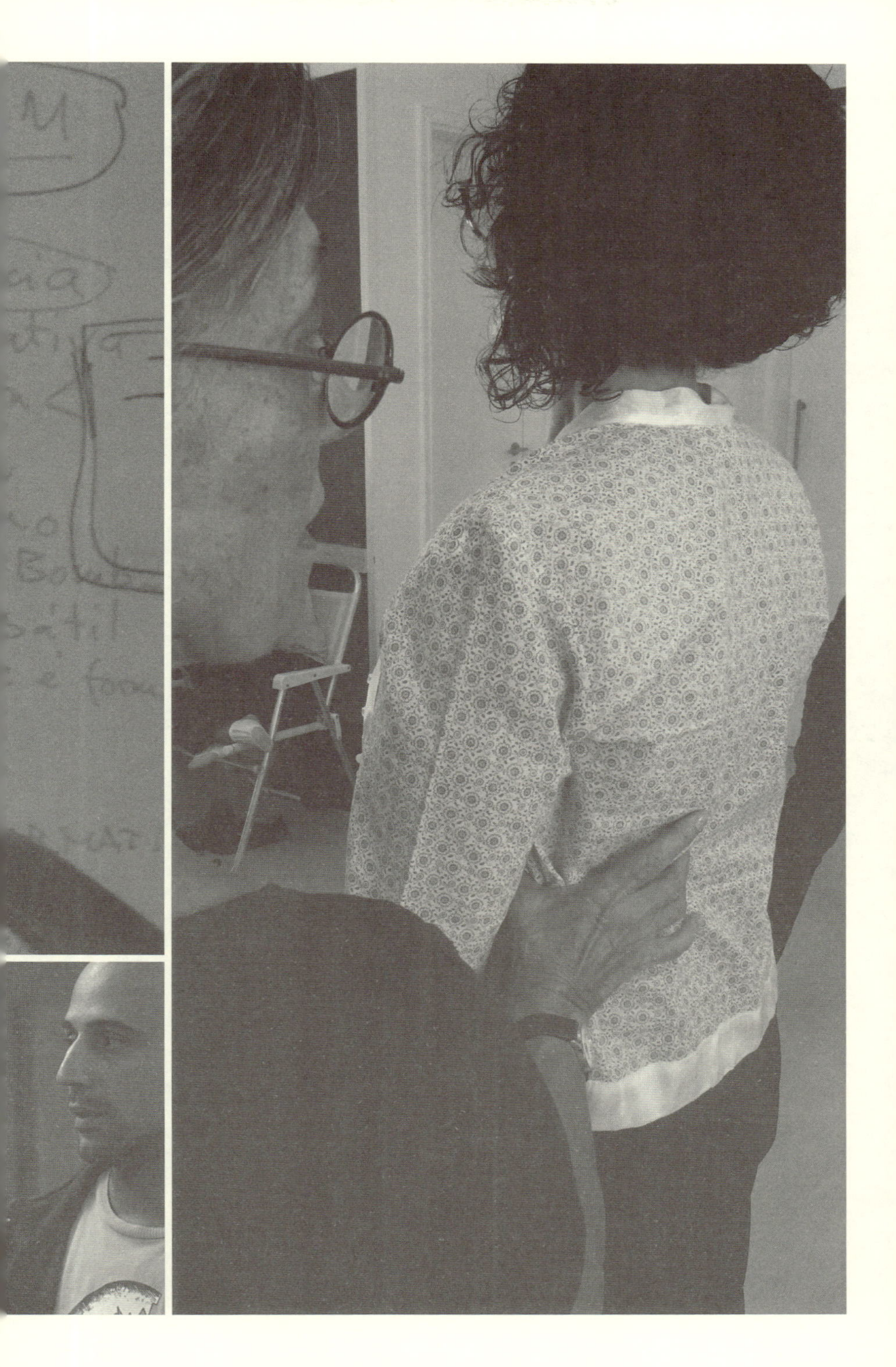

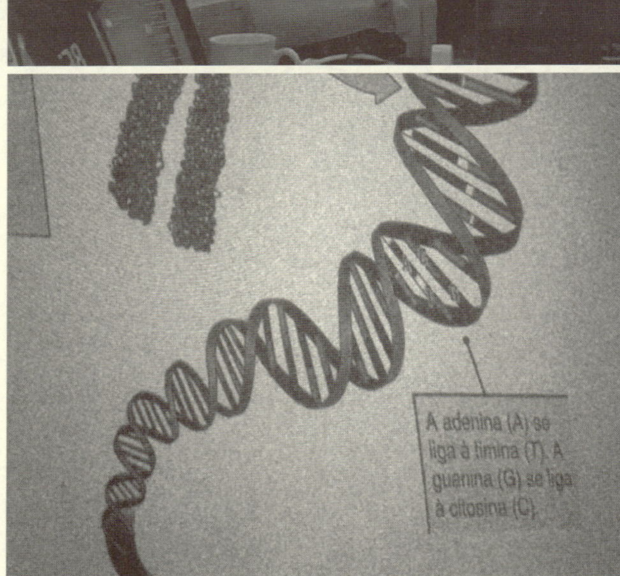
A adenina (A) se
liga à timina (T). A
guanina (G) se liga
à citosina (C).

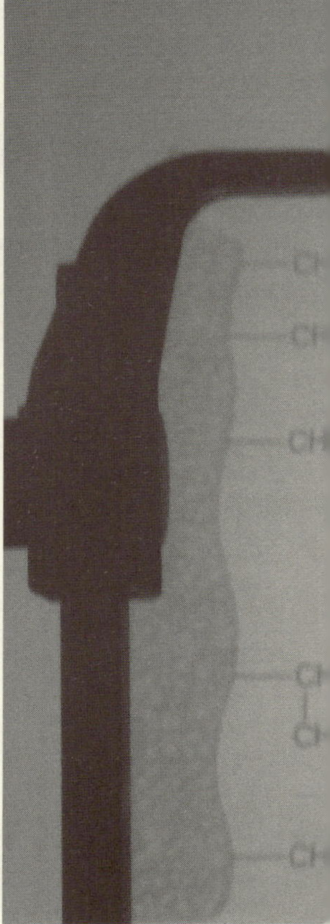

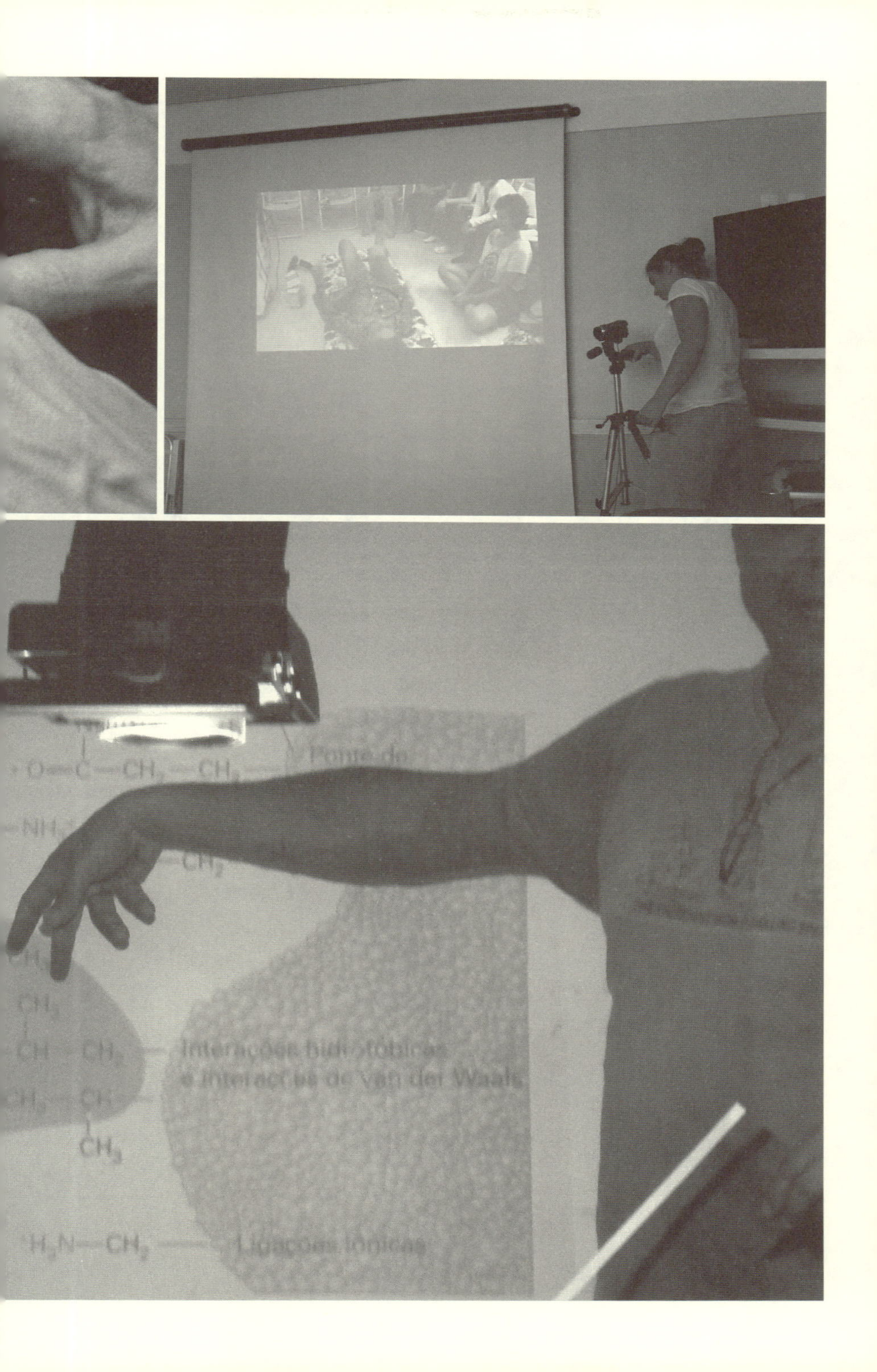
Ponte de
Ligações iônicas

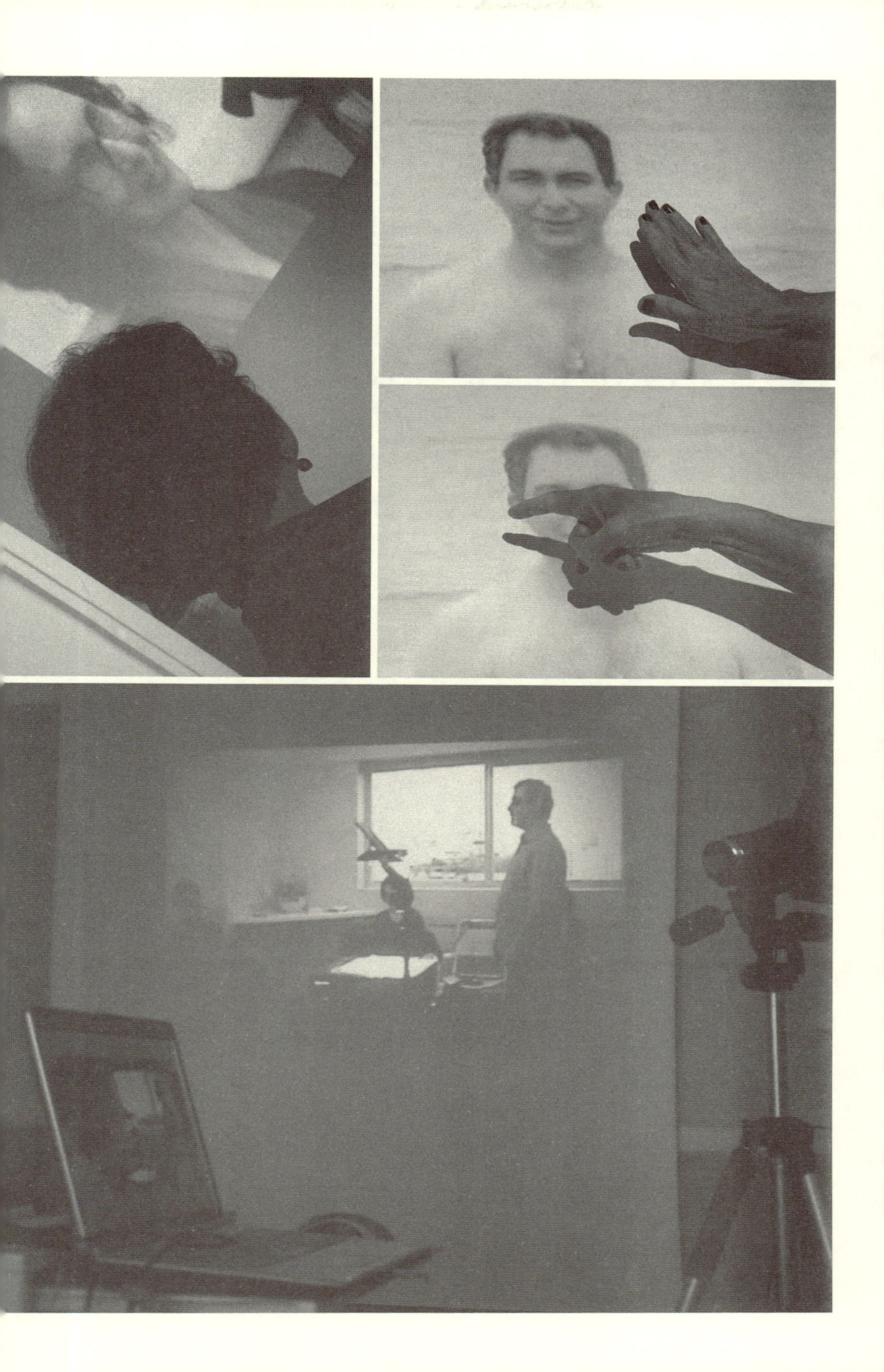

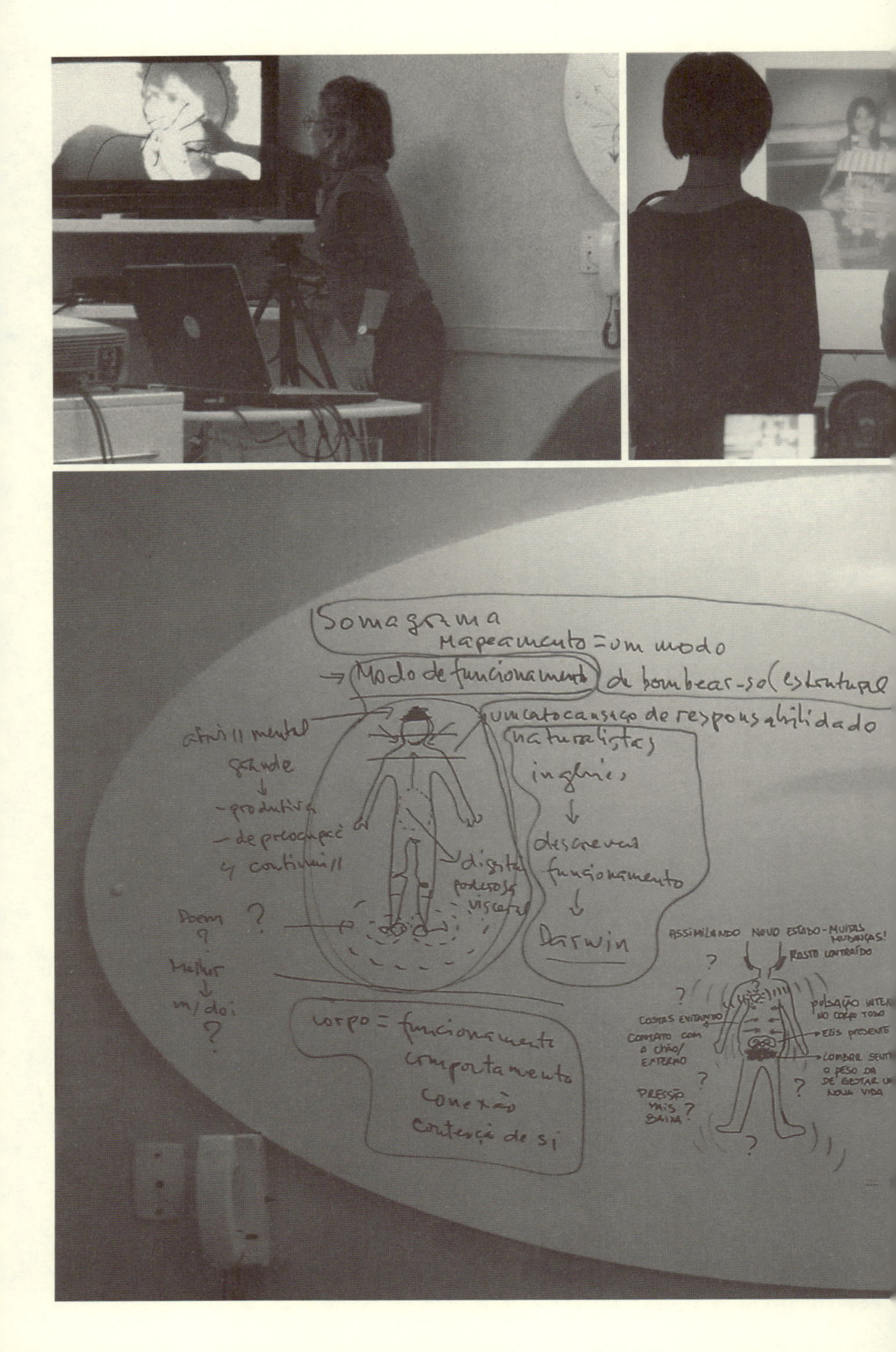
Somagrama
Mapeamento = um modo
Modo de funcionamento
naturalistas
funcionamento
Darwin
corpo = funcionamento
comportamento
conexão
ASSIMILANDO NOVO ESTADO - MUITAS MUDANÇAS!
ROSTO CONTRAÍDO
COSTAS EVITANDO
CONTATO COM O CHÃO/ EXTERNO
PRESSÃO MAIS BAIXA

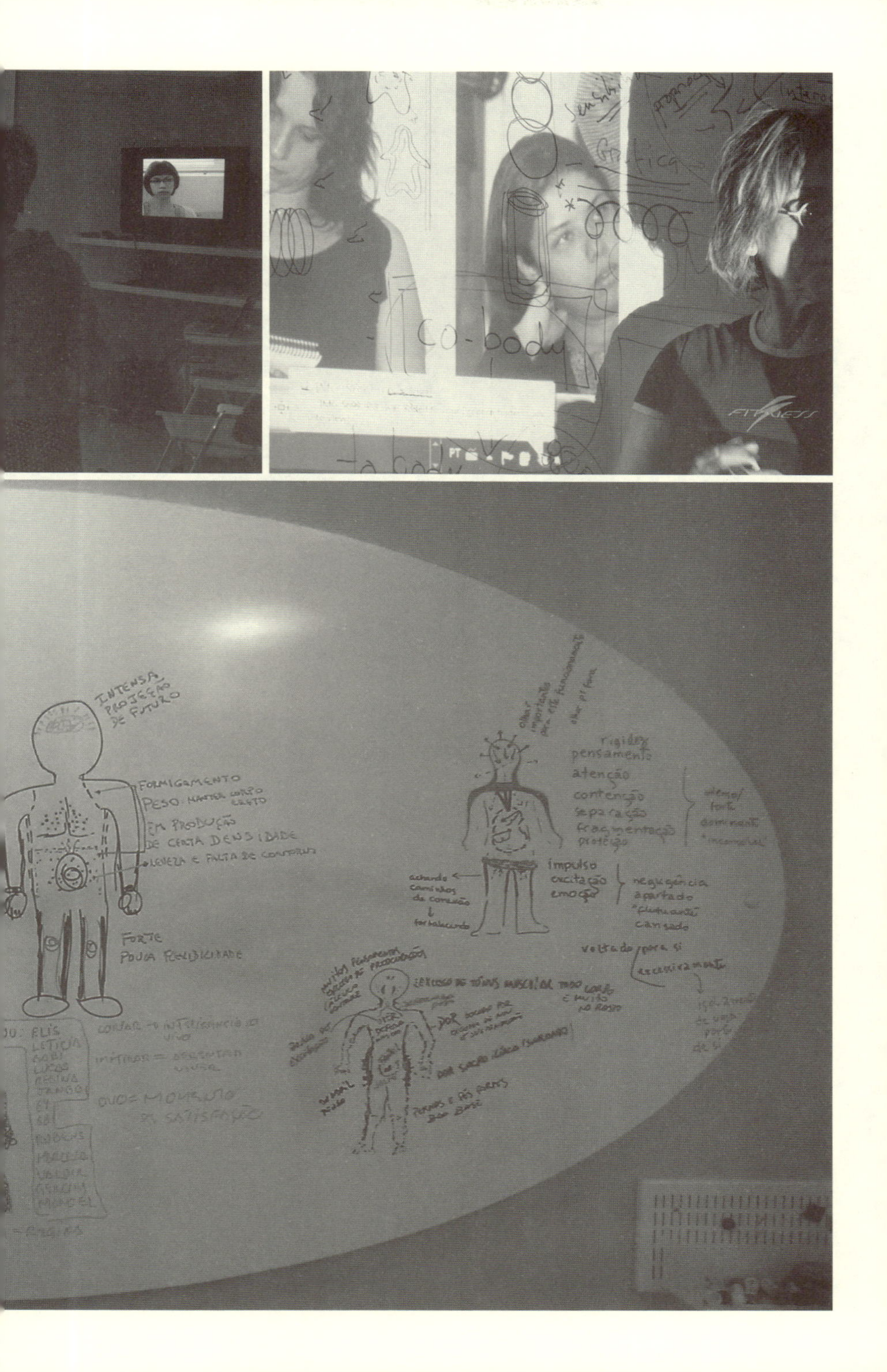

co-body
INTENSA
PROJEÇÃO
DE FUTURO
FORMIGAMENTO
EM PRODUÇÃO
DE CERTA DENSIDADE
FORTE
POUCA FLEXIBILIDADE
rigidez
pensamento
atenção
contenção
separação
fragmentação
proteção
impulso
excitação
emoção
negligência
apartado
cansado
voltado para si

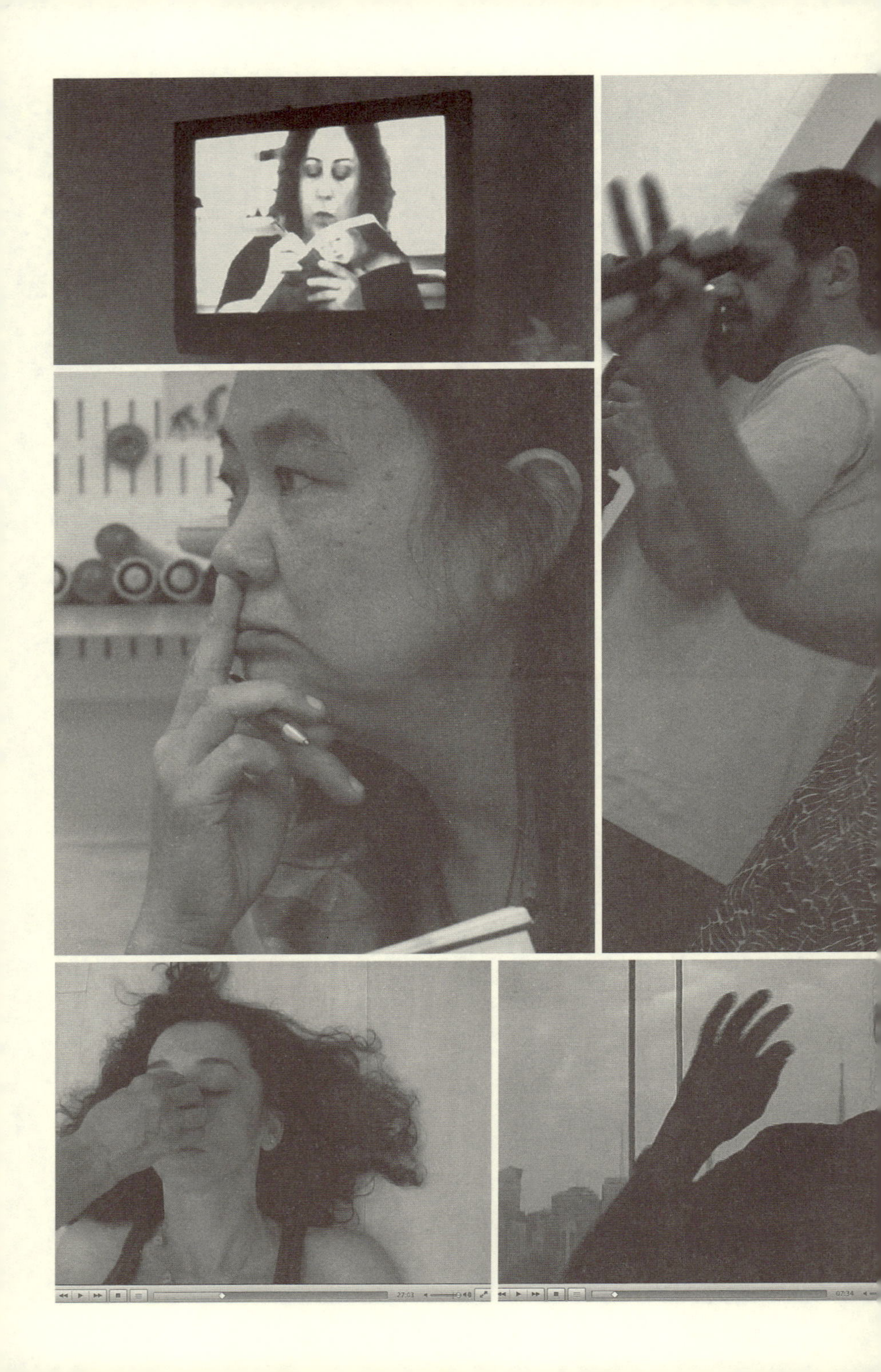
27:03
07:34

Presença

03:43

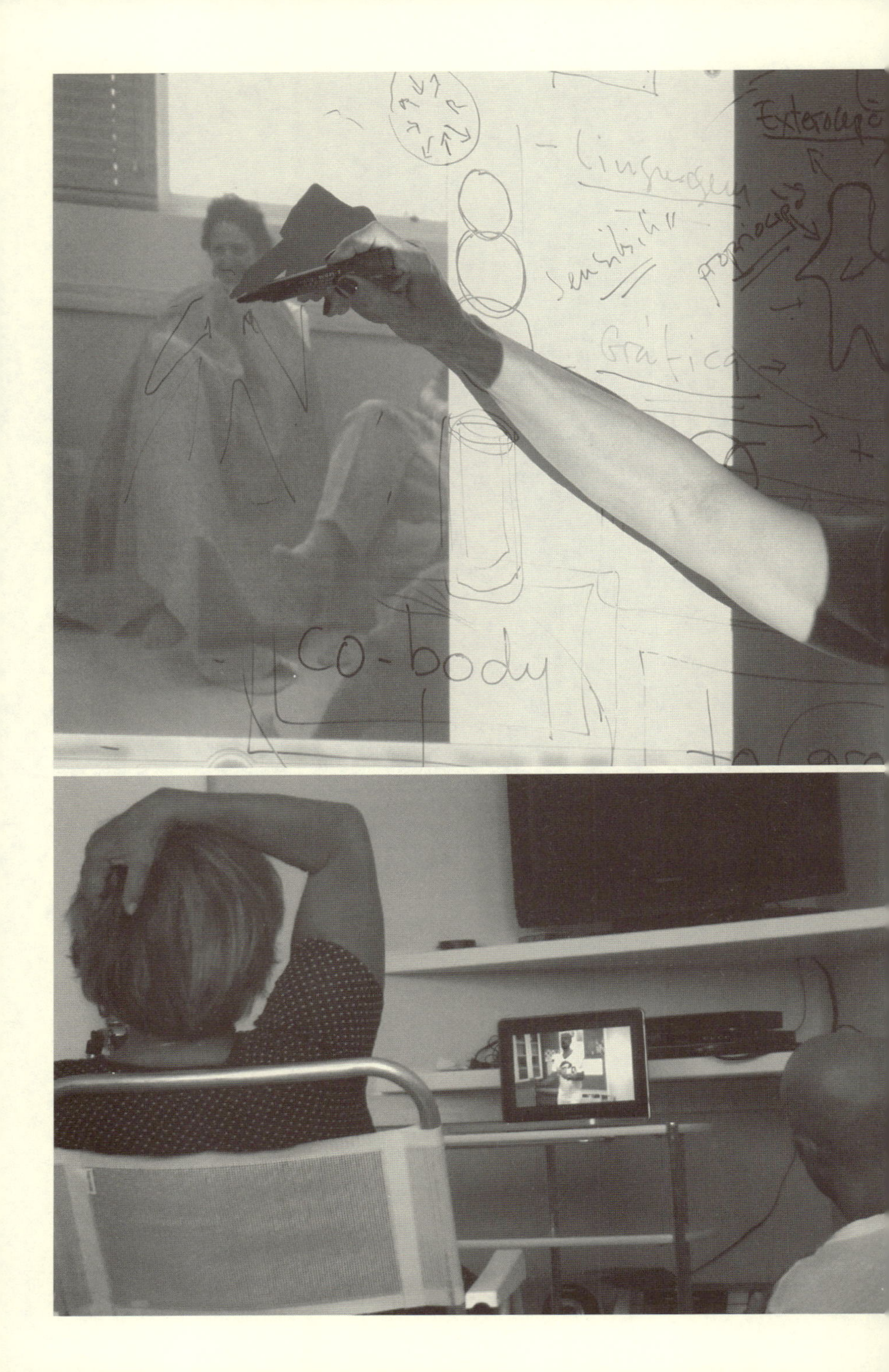
Gráfica
CO-body

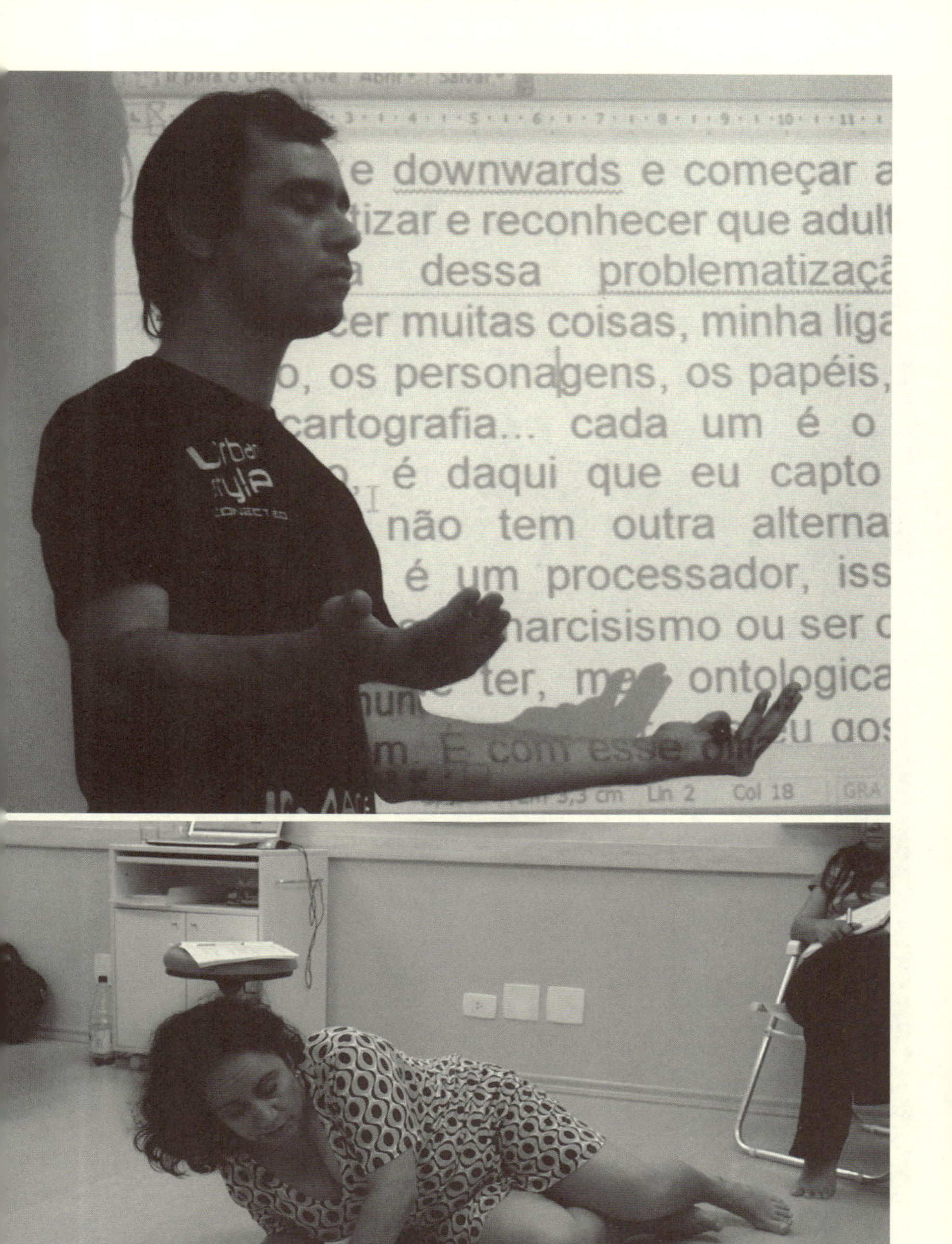

Abrir
Salvar
e downwards e começar
e reconhecer que
dessa
muitas coisas, minha
os personagens, os papéis,
cartografia... cada um é o
é daqui que eu capto
não tem outra
é um processador,
ou ser
ter,
Ln 2
Col 18

PARTE IV DRAMATURGIAS DOS CORPOS - VÍDEOS

1 ENTREVISTA

Entrevista da professora Leila Domingues Machado, pesquisadora da Universidade Federal do Espírito Santo, sobre a imagem no estudo do corpo.

2 EMBODIMENT EN BUENOS AIRES

Vídeo-conceito criado para uma apresentação em BA para estudiosos do corpo. A bomba pulsátil é o modelo evolutivo do corpo segundo Keleman.

3 TABOÃO DA SERRA

Testando conceitos formativos em projeto da Prefeitura de Taboão da Serra com um grupo de psicóticos, alcoólicos e pessoas em situação de rua.

4 PAULA E O ANDAR

Em um seminário do Laboratório do Processo Formtivo, trabalhando o amadurecimento subjetivo do corpo e o andar.

5 ESSA E ESSA: DUAS GÊMEAS DIFERENTES

Gravação realizada em 1990 em um centro de Saúde de São José do Rio Preto, editado, duas décadas depois, na perspectiva arte-clínica-política.

6 A BAILARINA EMOCIONADA

Registro de intervenção com os conceitos da anatomia emocional sobre registo fotográfico de uma intervenção formativa com uma aluna.

7 NA INSTALAÇÃO DIDÁTICA

O bombeamento nos ambientes é a base do processo formativo dos corpos em sua continuidade pulsátil. Aluna pratica o exercício.

8 UM ADULTO EMERGE EM UM CORPO ADOLESCENTE

O amadurecimento dos corpos requer ambiente e um tempo formativos para que possa completar a plena ocupação excitatória de sua estrutura.

PRESENÇAS

1 BIBLIOGRÁFICAS

Darwin, Charles. *A expressão das emoções no homem e nos animais*. São Paulo: Companhia das Letras, 2000.

European Association for Body Psychotherapy; United States Association for Body Psychotherapy. *International Body Psychotherapy Journal – The Art and Science of Somatic Praxis*, v. 17, n. 2, 2018. Disponível em: <https://www.ibpj.org/issues/IBPJ-Volume-17-Number-2-2018.pdf>. Acesso em: 26 out. 2020.

Guattari, Félix. *As três ecologias*. Campinas: Papirus, 1990.

_____. *Caosmose, um novo paradigma estético*. São Paulo: 34, 1992.

Guattari, Félix; Rolnik, Suely. *Micropolítica – Cartografias do desejo*. Petrópolis: Vozes, 1986.

Keleman, Stanley. *Anatomia emocional*. São Paulo: Summus, 1992a.

_____. *Padrões de distresse*. São Paulo: Summus, 1992b.

_____. *Realidade somática*. São Paulo: Summus, 1994.

_____. *Corporificando a experiência*. São Paulo: Summus, 1995.

_____. *Amor e vínculos*. São Paulo: Summus, 1996a.

_____. *O corpo diz a sua mente*. São Paulo: Summus, 1996b.

_____. *Viver o seu morrer*. São Paulo: Summus, 1997.
SOUZA, Jessé de. *A elite do atraso, da escravidão à Lava Jato*. Rio de Janeiro: Leya, 2017.
_____. *A classe média no espelho – Sua história, seus sonhos e ilusões, sua realidade*. Rio de Janeiro: Estação Brasil, 2018.
UNITED STATES ASSOCIATION FOR BODY PSYCHOTHERAPY. *The USA Body Psychotherapy Journal*, v. 6, n. 1. Bethesda: USABP, 2007.
VELOSO, Caetano. *Verdade tropical*. São Paulo: Companhia das Letras, 1997.

2 IMAGÉTICAS

Colaborador de ciência Saulo Cardoso
Escribas Liliane Oraggio e Lucia Freitas
Câmeras Ligia Jardim, Marcelo Andrade, Tania Campos
Alunos Suzana Bayona, Marcia Perez, Glauco Soto, Gabriel Haiquel, Liliane Oraggio, Renata Mecca, Thais Ushirobira, José Roberto Sombini, Denise Castro, Olivia Pavani, Juliana Araujo, Leila Domingues Machado, Liane Nishi, Paula Maria Valderaro, Adriana Bosco, Rodrigo Reis, Sandra Maria Taiar, Ana Paula Louzada, Erika Fromm, Caio Stauch, Caroline Lucas de Moraes
Fotos autoria coletiva

www.gruposummus.com.br